O Salvador mora ao lado

MAX LUCADO
Mais de 65 milhões de livros vendidos

O SALVADOR MORA AO LADO

TÃO PRÓXIMO QUE PODEMOS TOCAR; TÃO PODEROSO PARA NOS TRANSFORMAR

Traduzido por
AQUILES QUEIRÓZ

Thomas Nelson
BRASIL®
Rio de Janeiro, 2023

Título original
Next door Savior

Copyright da obra original © 2003 por Max Lucado
Edição original por Thomas Nelson. Todos os direitos reservados.
Copyright da tradução © Vida Melhor Editora LTDA., 2011.

PUBLISHER	*Omar de Souza*
EDITOR RESPONSÁVEL	*Renata Sturm*
SUPERVISÃO EDITORIAL	*Clarisse de Athayde Costa Cintra*
PRODUÇÃO EDITORIAL	*Thalita Aragão Ramalho*
CAPA	*Douglas Lucas*
TRADUÇÃO	*Aquiles Queiróz*
COPIDESQUE	*Magda de Oliveira Carlos*
REVISÃO	*Margarida Seltmann*
	Fernanda Silveira
	Cristina Loureiro de Sá
DIAGRAMAÇÃO E PROJETO GRÁFICO	*Cris Teixeira*

CIP-BRASIL. CATALOGAÇÃO-NA-FONTE
SINDICATO NACIONAL DOS EDITORES DE LIVROS, RJ

L965s

Lucado, Max, 1955-
  O Salvador mora ao lado / Max Lucado; [tradução Aquiles Queiróz]. - Rio de Janeiro: Thomas Nelson Brasil, 2015. il.

Tradução de: Next door Savior
ISBN 978-85-7860-792-0
1. Jesus Cristo. 2. Vida cristã. I. Título.

CDD: 232
CDU: 27-31

Thomas Nelson Brasil é uma marca licenciada à Vida Melhor Editora LTDA.
Todos os direitos reservados à Vida Melhor Editora LTDA.
Rua da Quitanda, 86, sala 218 – Centro – 20091-005
Rio de Janeiro – RJ – Brasil
Tel.: (21) 3175-1030
www.thomasnelson.com.br

Mas, na verdade, habitará Deus com os homens na Terra?

Salomão
2 Crônicas 6:18

Para Billy Graham

Minha voz é apenas uma no coro dos milhões.
Obrigado por suas palavras.
Obrigado por sua vida.

Sumário

Agradecimentos — 11

1. Nosso Salvador mora ao lado — 13

PRIMEIRA PARTE
Não há pessoa que ele não alcance

2. A música-tema de Cristo — 25
   Todas as pessoas

3. Amigo dos fracassos — 35
   Pessoas sombrias

4. A mão que Deus gosta de segurar — 45
   Pessoas desesperadas

5. Tente outra vez — 51
   Pessoas desencorajadas

6. Terapia do cuspe — 61
   Pessoas que sofrem

7. O que Jesus diz nos funerais — 71
   Pessoas enlutadas

8. Botando para fora o inferno — 79
   Pessoas atormentadas

9. Não é o que você faz — 89
   Pessoas espiritualmente desgastadas

10. O lixeiro   99
   Pessoas imperfeitas

SEGUNDA PARTE
Não há lugar aonde ele não vá

11. Ele ama estar com quem ele ama   111
    Todos os lugares

12. Como é que é?   119
    Lugares internos

13. Uma cura para a vida comum   127
    Lugares comuns

14. Ah, ser livre dos PDPs...   137
    Lugares religiosos

15. De vacilantes a decididos   147
    Lugares inesperados

16. O longo e solitário inverno   155
    Lugares desérticos

17. Deus está por dentro   165
    Lugares tempestuosos

18. Esperança ou especulação?   173
    O mais alto dos lugares

19. Abandonado!   183
    Lugares esquecidos por Deus

20. O golpe de misericórdia de Cristo   191
    Lugares consagrados por Deus

21. A louca afirmação de Cristo   201
    Lugares incríveis

Conclusão: Ainda na vizinhança   209
Guia de estudo   219
Notas   281

Agradecimentos

Meus demorados aplausos vão para:

Liz Heaney e Karen Hill — por separar o que interessa na bagunça, tolerar idiossincrasias e fazer o negócio funcionar. Agradeço imensamente.

Steve e Cheryl Green — pelo planejamento de longo prazo, por vigiar o portão e por serem os melhores amigos que alguém pode desejar.

Susan Perry — por trazer alegria — e comida — a nosso mundo.

A família da Igreja Oak Hills — por nos enviar enxurradas de encorajamento e uma inundação de orações.

Laura Kendal e Carlos Bartley — os comentários e a edição de vocês têm a precisão de um estilete afiado.

Steve Halliday — seus guias de estudo sempre ajudam as pessoas a se aprofundarem.

Editora Thomas Nelson — por ver muito além do que eu vejo. Vocês são os melhores!

O time da UpWords — por seu trabalho incansável nos bastidores.

Bill Hybels — obrigado por compartilhar o segredo de Mateus. Mais obrigado ainda por vivê-lo.

Charles Prince — por suas joias de sabedoria e um baú do tesouro de gentilezas.

Todd Phillips — obrigado por seus *insights* precisos e no tempo exato, e pelo encorajamento.

Larry King e toda a equipe — obrigado pelas sementes de pensamento.

Michael W, 3D e o grupo CTAW — que jornada! Obrigado por ouvir as mensagens.

Jenna, Andrea e Sara — se um dia eu vier a duvidar da bondade de Deus, só terei de olhar para vocês. Obrigado por serem as melhores filhas do mundo.

1
Nosso Salvador mora ao lado

Chegando Jesus à região de Cesareia de Filipe, perguntou aos seus discípulos: "Quem os homens dizem que o Filho do homem é?" Eles responderam: "Alguns dizem que é João Batista; outros, Elias; e, ainda outros, Jeremias ou um dos profetas." "E vocês?", perguntou ele. "Quem vocês dizem que eu sou?" Simão Pedro respondeu: "Tu és o Cristo, o Filho do Deus vivo."

MATEUS 16:13-16

∞

As palavras ficam suspensas no ar como um sino que acabou de soar. "Quem vocês dizem que eu sou?" O silêncio abate-se sobre o semicírculo de seguidores. Nataniel limpa a garganta. André baixa os olhos. João mordisca a unha. Judas mastiga uma haste de grama. Não fala nada. Nunca fala. Pedro vai falar. Sempre fala.

Mas primeiro faz uma pausa. A pergunta que Jesus fez não é novidade para ele.

Das mil vezes anteriores, no entanto, Pedro manteve a questão para si mesmo.

Naquele dia em Naim? Lá ele tinha feito a pergunta. A maioria das pessoas permaneceu quieta como se passasse por elas um cortejo fúnebre. As bocas fechadas. Silêncio reverente. Não com Jesus. Ele aproximou-se da mãe do menino morto e sussurrou alguma coisa em seu ouvido, que a fez virar-se e encarar o filho. Ela começou a objetar, mas não o fez. Sinalizando os que seguravam a alça do caixão, instruiu: "esperem."

Jesus caminhou em direção ao menino. Com os olhos no nível do cadáver, falou. Não falou por sobre o cadáver, como uma oração, mas para ele, como uma ordem. "Jovem, eu lhe digo, levante-se!" (Lucas 7:14).

Com o tom de voz de um professor dizendo aos alunos para sentarem-se ou a autoridade de uma mãe dizendo a seus filhos para saírem da chuva, Jesus mandou o garoto morto *não es-*

tar morto. E o garoto obedeceu. A pele fria acalentou-se. Seus membros rígidos moveram-se. As faces alvas enrubesceram. Os homens baixaram o caixão, e o menino pulou para fora, para os braços da mãe. Jesus "o entregou à sua mãe" (Lucas 17:15).

Uma hora mais tarde, Jesus e seus amigos estavam fazendo a refeição noturna. Ele riu de uma anedota e pediu uma segunda porção de pão, e a ironia de tudo isso chocou Pedro. *Quem és tu?*, perguntou, tão baixo que ninguém além de Deus pudesse ouvir. *Tu acabas de despertar o morto! Não deverias tu estar envolto em luz ou rodeado de anjos ou sentado no trono mais poderoso que o de mil césares? Apesar disso, eis tu — vestindo roupas que eu mesmo usaria e rindo das anedotas que eu conto e comendo a comida que todos nós comemos. Acaso são coisas que aquele que derrota a morte faz? Então, quem és tu?*

E depois, na tempestade. Aquela tempestade amarrem-se-todos-ao-mastro-e-digam-adeus-ao-barco. Ondas de quatro metros arrastavam os discípulos para frente e para trás, deixando o convés com água até os joelhos. O rosto de Mateus empalideceu-se até ficar da cor do trigo refinado. Tomé agarrou-se ao timão. Pedro sugeriu que orassem a oração do Senhor. Melhor ainda, que o próprio Senhor os liderasse na oração do Senhor. E é aí que sabemos o que se passava com o Senhor.

Roncando.

Jesus dormia. Lá atrás, junto ao leme. A cabeça pendente para frente. O queixo apoiado no osso esterno enquanto o barco quicava sobre as ondas. "Jesus!", Pedro gritou.

O carpinteiro acordou e olhou para cima. Tirou a chuva dos olhos com a palma da mão, inflou ambas as bochechas em um suspiro e levantou-se. Ergueu primeiro a mão, e depois sua voz, e, mais rápido do que você poderia dizer "plácida", a água tornou-se exatamente isso. Jesus sorriu e sentou-se, e Pedro o encarou se perguntando, "quem é este que até o vento e o mar lhe obedecem?" (Marcos 4:41).

Dessa vez, quem fazia a pergunta era o próprio Jesus: "Quem vocês dizem que eu sou?" (Mateus 16:15).

Talvez o tom de voz na resposta de Pedro tenha sido igual ao dos locutores do telejornal das oito horas. Sobrancelhas erguidas. Um leve sorriso. Uma voz de barítono à la James Bond. "Acredito que você seja o Filho de Deus." Mas eu duvido.

Eu vejo Pedro um tanto constrangido. Ele limpa a garganta. As palavras não saem, engole seco. É mais como um paraquedista de primeira vez prestes a saltar da porta do avião. "Está pronto para saltar?", ele perguntou. "Eu, é... bem... eu, é..."

"Quem vocês dizem que eu sou?"

"Eu, é... bem... eu, é... Acredito... que... tu és o Cristo, o Filho do Deus vivo" (veja Mateus 16:16).

Se Pedro estava hesitante, não dá para condená-lo por isso. Quantas vezes você já teve de dizer a um batedor de pregos de uma cidadela do interior que ele era o Filho de Deus?

Algo estava errado.

Costumamos presenciar cenas parecidas no Ensino Fundamental. Para nos manter ocupados, os professores nos mostravam desenhos com a pergunta na parte de baixo: "O que está errado com essa figura?" Lembra? Então nós olhávamos firmemente, procurando alguma coisa que não estivesse se encaixando na cena. Uma cena de fazenda com um piano à beira do riacho. Uma sala de aula com um pirata sentado no banco ao fundo. Um astronauta na Lua com um orelhão no fundo do cenário. Nós analisávamos as figuras e apontávamos para o piano, o pirata ou o orelhão, e dizíamos: "isso não se encaixa." Alguma coisa está fora de lugar. Alguma coisa é absurda. Não há pianos nos pastos. Piratas não se sentam em salas de aula.

Os telefones públicos nunca foram instalados na Lua, e Deus não fica batendo papo com gente comum ou tira uma soneca em barcos pesqueiros.

Mas, de acordo com a Bíblia, ele faz isso sim. "Pois em Cristo, como ser humano, está presente toda a natureza de Deus" (Colossenses 2:9, NTLH). Jesus não era um homem na forma de Deus, nem um Deus na forma humana. Ele era um Deus-humano.

Seu parto foi feito por um carpinteiro.

Foi banhado por uma camponesa.

Aquele que fez o mundo tinha um umbigo.

Aquele que foi autor da Torá estudou a Torá.

O humano do Céu. E porque ele era assim é que ficamos em uma situação meio coça-a-cabeça, pisca-pisca, o-que-há-de-errado-com-essa-figura? Como esta:

Vinho Bordeaux no lugar de H_2O.

Um aleijado promovendo o baile da cidade.

Um almoço frugal satisfazendo cinco mil barrigas.

E, acima de tudo, uma sepultura: vigiada por soldados, selada por uma pedra, ainda assim esvaziada de um homem morto fazia três dias.

O que fazemos com momentos assim?

O que fazemos com tal *pessoa?* Nós aplaudimos os homens por fazerem coisas boas. Nós louvamos Deus por fazer grandes coisas. Mas, e quando um homem faz as coisas de Deus?

Uma coisa é certa, não podemos ignorá-lo.

E por que o faríamos? Se esses momentos são verdadeiros, se o apelo de Cristo é verdadeiro, então ele era, ao mesmo tempo, homem e Deus.

Ei-lo, a pessoa mais importante que jamais viveu. É só o abre-alas? Dificilmente. Ninguém divide com ele o desfile. Os maiores e mais brilhantes humanos que já viveram não são nem fichinha perto dele.

Dispensá-lo? Não conseguiríamos.

Resistir a ele? É igualmente difícil. Não precisamos de um Salvador Deus-humano? Um Jesus que fosse somente Deus poderia criar-nos, mas não nos compreender. Um Jesus que fosse só humano poderia amar-nos, mas não nos salvar. Mas, e um Jesus Deus-Homem? Próximo o suficiente para que possamos tocá-lo. Forte o suficiente para que possamos depositar nele nossa confiança. Um Salvador na porta ao lado.

Um Salvador que milhões de pessoas acharam irresistível. Nada se compara à "suprema grandeza do conhecimento de Cristo Jesus, meu Senhor" (Filipenses 3:8). A recompensa por ser cristão é Cristo.

Você já foi para algum desses pontos turísticos — digamos, o Pão de Açúcar — só para ter aquela camiseta com o desenho do Pão de Açúcar ou aquela miniatura? Não. A recompensa do Pão de Açúcar é o Pão de Açúcar. A visão ampla, do alto do morro, de que você faz parte de alguma coisa ancestral, esplêndida, poderosa e maior do que você.

O tesouro de ser cristão é Cristo. Não é dinheiro no banco ou um carro na garagem ou um corpo mais esbelto ou uma autoimagem melhor. Esses são talvez frutos secundários ou terciários. Mas o grande tesouro da fé é Cristo. Comunhão com ele. Caminhar com ele. Refletir sobre o que ele disse. Explorar o que ele ensinou. Aquela sensação paralisante de que você com ele é parte de alguma coisa mais ancestral, sem fim, inquebrantável, e que nunca se extinguirá. E que ele, que ergue o Pão de Açúcar com o dedo mindinho, acha que por você valeu a pena ter morrido sobre a madeira romana. Cristo é a recompensa por ser cristão. Por que então Paulo teria feito dele seu desejo supremo? "Quero conhecer a Cristo" (Filipenses 3:10).

Seu desejo é o mesmo? Minha ideia é simples. Vamos analisar alguns dos lugares em que ele esteve e algumas das pessoas a que influenciou. Junte-se a mim nessa busca por sua "Deus-humanidade". Você talvez se surpreenda.

Mais importante, você não será o mesmo. "E todos nós, que com a face descoberta contemplamos a glória do Senhor, segundo a sua imagem estamos sendo transformados com glória cada vez maior, a qual vem do Senhor, que é o Espírito" (2 Coríntios 3:18).

Ao olharmos a Cristo, tornamo-nos como ele.

Eu passei pessoalmente por essa experiência quando um cantor de ópera visitou nossa igreja. Não sabíamos que tinha uma voz treinada. Não dava para saber, julgando por seu casaco de veludo cotelê ou por seu mocassim. Nada de fraque, nem faixa de cetim ou gravata de seda. Sua aparência não dava na vista. Mas sua voz certamente. Eu sei disso, porque eu estava no banco à sua frente.

Seu *vibrato* fazia as dentaduras rangerem e as vigas tremerem. Ele tentou conter-se. Mas como pode uma tuba se esconder em uma sala cheia de flautins?

Por um tempo, fiquei estupefato. Mas, depois de um verso, me inspirei. Embalado pelo volume do cidadão, eu aumentei o meu. Se eu cantei melhor? Pois se nem eu mesmo podia ouvir-me. Meus trinados estavam perdidos em meio ao talento dele. Mas, se eu tentei mais forte? Sem dúvida. Sua força fez sair o melhor de mim.

Será que seu mundo não está precisando de um pouco mais de música? Se for esse o caso, convide o barítono dos Céus para se soltar. Ele pode parecer um cara comum, desses que moram ao lado, mas espere para ver do que ele é capaz. Quem sabe? Algumas canções que você cante com ele podem mudar a maneira como você canta.

Para sempre.

Primeira parte

NÃO HÁ PESSOA QUE ELE NÃO ALCANCE

∞

Muitos de nós tivemos dificuldades quando começamos a aprender a amarrar os sapatos. Espremer a pasta do tubo para nossa escova já era bem difícil, o que dizer de deixar os sapatos mais firmes puxando-se os cadarços? Não é nada fácil. E para que a gente precisa aprender isso? Vamos usar mocassins. Ou ficar descalços. Quem foi que inventou essa história de cadarços?

E os joelhos não ajudam. Sempre batendo em seu rosto, se colocando entre seus olhos e os sapatos — não dá para se concentrar.

E, oh, os conselhos! Cada um tinha uma abordagem diferente. "Faça uma arvorezinha com a volta, e deixe o esquilinho dar a volta nela e entrar no buraco." "Faça uma orelha de coelhinho, e então coloque um lacinho nela." Papai dizia: "Vai rápido." Seu tio falava para você ir com calma. Será que ninguém se entende? Só uma coisa era certa: você tinha de aprender.

Aprender a amarrar seus cadarços é um rito de passagem. Assim como o primeiro dia na escola e aprender a andar de bicicleta sem rodinhas. Mas, oh, que processo assustador.

Bem quando você achava que já tinha feito o laço e dado a volta na árvore — você puxa as orelhas do coelhinho, cada uma em uma das mãos e... *voilà* — um nó. Sem que você tenha se dado conta, acaba de ser induzido à realidade.

Meu amigo Roy costumava sentar-se em um banco da praça por alguns minutos a cada manhã. Ele gostava de observar as crianças se juntando e brincando na parada de ônibus. Um dia ele notou um sujeitinho, de seus cinco ou seis anos, com dificuldades para subir no ônibus. Enquanto os outros escalavam as escadas, ele estava abaixado, tentando desatar um cadarço freneticamente. E foi ficando cada vez mais ansioso, com os olhos em frenesi, se alternando entre o nó e a condução.

E, subitamente, era tarde demais. A porta se fechara.

O garoto caiu de cócoras e suspirou. Foi então que viu Roy. Com olhos cheios de lágrimas, ele olhou o homem no banco e perguntou: "Você sabe desatar nós?"

Jesus ama esse pedido.

Nossa vida, vez por outra, fica embaraçada, cheia de nós. Você nunca vai superar o instinto de olhar para cima e gritar: "socorro!"

Jesus sabia como aparecer em momentos como esse. No barco vazio de Pedro. No coração vazio de Nicodemos. Mateus tinha uma questão com um amigo. Uma mulher tinha um problema de saúde. Olha quem apareceu para socorrer.

Jesus, nosso Salvador ao lado.

"Você sabe desatar nós?"

"Sim."

2

A música-tema de Cristo

Todas as pessoas
Hebreus 2:17,18

A maioria das pessoas mantém seus segredos familiares a sete chaves. A maioria não comenta sobre aquele tio que fez um desfalque ou aquela tia-avó que fazia *trottoir*. Histórias como essas não vêm à baila em reuniões familiares nem são registradas na Bíblia da família.

A não ser que você seja o Deus-homem. Jesus nos mostra os frutos podres de sua árvore genealógica no primeiro capítulo do Novo Testamento. Você mal pôs os pés no evangelho de Mateus e já se dá conta de que Jesus se vangloria por pertencer à sociedade dos não tão santos. Raabe era uma prostituta de Jericó. Seu avô Jacó era bem escorregadio. Davi tinha uma personalidade tão irregular quanto uma pintura de Picasso — em um dia escrevia salmos, no outro, seduzia a esposa de seu capitão. Mas teria Jesus apagado esses nomes da lista? De modo algum.

É de se pensar que ele teria apagado. Os *papparazzi* poderiam escarafunchar essas histórias. Por que é que Jesus pendurou a roupa suja de sua família no varal da vizinhança?

Porque em sua família também tem gente assim. Um tio que esteve na prisão. O pai que nunca apareceu. O avô que fugiu com a secretária. Se sua família tem ovelhas negras, Jesus quer que você saiba, "comigo também foi assim".

A frase "comigo também foi assim" poderia ser o refrão da música-tema de Cristo. Para os solitários, Jesus sussurra "comigo também foi assim". Para os desolados, Cristo balança a cabeça e suspira, "comigo também foi assim".

Basta dar uma olhada na sua cidade natal. Uma cidadela qualquer, humilde e esquecida.

Para achar um paralelo no mundo de hoje, teríamos de deixar nosso país, nosso continente e até a Europa. Israel na época não era nenhuma superpotência ou grande entreposto comercial e nem lugar de férias. A terra em que Josué se estabeleceu e que Jesus amava mal aparecia no radar do Império Romano.

Mas estava lá. Os soldados de Cesar ocuparam-na. Como a Polônia dos anos 1940 ou a Guatemala dos anos 1980, as colinas da Judeia conheceram a ferocidade de um exército estrangeiro. Ainda que você se pergunte se os soldados romanos já se importaram em ir tão ao norte, em Nazaré.

Pense em uma vila quieta e empoeirada. Um lugar remoto, desse que leva as pessoas a se perguntarem, "já saiu alguma coisa boa lá de _____?" No caso de Cristo, esse espaço em branco era preenchido com o nome "Nazaré". Uma cidadezinha de nada em um paisinho de nada.

Se fôssemos comparar com algum lugar de hoje, qual seria? Iraque? Afeganistão? Burkina Faso? Camboja? Você escolhe. Encontre uma região semiárida e agrícola orbitando na beirada de qualquer epicentro social. Suba em um jipe, e se mande para lá procurando por uma família como a de Jesus.

Ignore as casas mais bonitas da vila. José e Maria celebraram o nascimento de Jesus oferecendo, no templo, duas pombas, a oferenda dos pobres (Lucas 2:22-24). Vá para a parte mais pobre da cidadezinha. Não a miserável, onde a doença grassa. Apenas a mais simples.

Ou procure uma mãe sozinha. A ausência de José na vida adulta de Jesus sugere que Maria pode tê-lo criado, junto às outras crianças, sozinha. Precisamos de uma casa simples com uma mãe sozinha e um trabalhador comum. Os vizinhos de Jesus lembram-se dele como um trabalhador. "Ele é só um carpinteiro" (Marcos 6:3, paráfrase).

Jesus tinha as mãos sujas, as roupas manchadas de suor, e — isso pode surpreendê-lo — uma aparência comum. "Ele não tinha qualquer beleza ou majestade que nos atraísse, nada em sua aparência para que o desejássemos" (Isaías 53:2).

Sorriso de cair o queixo? Físico de tirar o fôlego? Não. As cabeças não se voltavam quando Jesus passava. Se ele se parecia com seus pares, tinha um rosto largo de camponês, pele azeitonada, cabelo curto e encaracolado e nariz proeminente. Tinha menos de um metro e sessenta, e pesava cerca de sessenta quilos.[1] Dificilmente apareceria na capa de uma revista de celebridades. De acordo com um historiador do terceiro século, Origen, "seu corpo era pequeno e mal formado e ignóbil".[2]

E você? Tem a aparência bem sem graça e maneiras comuns? Com ele também foi assim.

Um *pedigree* questionável. Cresceu em uma nação que não importava muito, entre pessoas oprimidas em uma cidadela obscura. Um lar simples. Uma mãe sozinha. Um trabalhador comum com uma aparência comum. Você pode encontrá-lo? Está vendo a casa de pau a pique com o telhado de palha? É, aquela mesma, com galinhas no quintal e aquele rapaz com cara de moleque consertando as cadeiras no galpão? Dizem que ele pode consertar também seu encanamento.

Com ele também foi assim.

"Era necessário que ele se tornasse semelhante a seus irmãos em todos os aspectos, para se tornar sumo sacerdote misericordioso e fiel com relação a Deus e fazer propiciação pelos pecados do povo. Porque, tendo em vista o que ele mesmo sofreu quando tentado, ele é capaz de socorrer aqueles que também estão sendo tentados" (Hebreus 2:17,18).

Você é pobre? Jesus sabe como você se sente. Você está na parte mais baixa da escala social? Ele entende o que é isso. Já se sentiu explorado? Cristo pagava impostos a um imperador estrangeiro.

Com ele também foi assim. Ele entende o significado de obscuridade.

Mas e se sua vida não for obscura? E se você tiver um negócio para dirigir ou multidões para administrar ou uma sala de aula para cuidar? Será que Jesus se identifica com você também?

Certamente. Ele recrutou e cuidou da própria organização. Setenta homens e um bom grupo de mulheres procuravam sua liderança. Você cuida de orçamentos e, conduz reuniões e contrata funcionários? Cristo sabe que a liderança não é fácil. Em seu grupo havia um radical que odiava os romanos e um coletor de impostos que trabalhara para eles. A mãe de seus homens-chave exigia tratamento especial para seus filhos. Jesus compreende o estresse da liderança.

Alguma vez você já sentiu que precisava se afastar de tudo? Com Jesus também foi assim. "De madrugada, quando ainda estava escuro, Jesus levantou-se, saiu de casa e foi para um lugar deserto, onde ficou orando" (Marcos 1:35).

Já teve tanta coisa para fazer que não podia nem parar para o almoço? Ele pode se identificar com isso. "Havia muita gente indo e vindo, a ponto de eles não terem tempo para comer" (Marcos 6:31).

Você tem mais *e-mails* ou ligações do que consegue responder? Com Cristo também foi assim. "Uma grande multidão dirigiu-se a ele, levando-lhe os mancos, os aleijados, os cegos, os mudos e muitos outros, e os colocaram aos seus pés; e ele os curou" (Mateus 15:30).

E o que dizer das tensões familiares? "Quando seus familiares ouviram falar disso, saíram para apoderar-se dele, pois diziam: 'Ele está fora de si'" (Marcos 3:21).

Você já sofreu falsas acusações? Os inimigos chamaram Jesus de comilão e beberrão (Mateus 11:19). Na noite anterior à sua morte, as pessoas "estavam procurando um depoimento falso contra Jesus, para que pudessem condená-lo à morte" (Mateus 26:59).

Alguma vez seus amigos já o desapontaram? Quando Cristo precisou de ajuda, seus amigos cochilaram. "Vocês não puderam vigiar comigo nem por uma hora?" (Mateus 26:40).

Inseguro a respeito do futuro? Jesus também já esteve assim. Em relação ao último dia da história, ele explicou "quanto ao dia e à hora ninguém sabe, nem os anjos dos Céus, nem o Filho, senão somente o Pai" (Mateus 24:36). Poderia Jesus ser o Filho de Deus e não saber nada? Ele poderia, se assim quisesse. Sabendo que você enfrentaria o desconhecido, optou por enfrentar o desconhecido ele também.

Com Jesus também tinha sido assim. Ele havia passado por todas "as dores, todas as provações" (Hebreus 2:18, paráfrase). Jesus sentiu raiva o suficiente para purgar o templo dos vendilhões, sentiu fome o suficiente para comer o grão cru, sentiu-se triste a ponto de chorar em público, sentiu-se alegre a ponto de ser chamado de beberrão, divertiu-se a ponto de atrair as crianças, cansado a ponto de dormir em um barco sacolejado pela tempestade, pobre o suficiente para dormir no chão e pedir uma moeda emprestada para ilustrar um sermão, radical a ponto de ser expulso da cidade, responsável o suficiente para cuidar de sua mãe, foi tentado a ponto de sentir o cheiro de Satanás, e sentiu medo o suficiente para suar sangue.

Mas por quê? Por que é que o mais fino Filho de Deus deveria sofrer a mais forte das dores? Para que você soubesse que, "tendo em vista o que ele mesmo sofreu quando tentado, ele é capaz de socorrer aqueles que também estão sendo tentados" (Hebreus 2:18).

Não importa o que você esteja enfrentando, ele sabe como você se sente.

Há dois dias, 20 mil pessoas percorreram as estradas de San Antonio, Texas, recolhendo dinheiro para pesquisa contra o câncer do seio. A maior parte das pessoas correu por mera gentileza, contentes de correr cinco quilômetros e doar alguns dólares para a causa. Uns poucos correram em memória de um ente querido, outros em honra a uma sobrevivente do câncer. Corremos por razões diferentes. Mas nenhum corredor estava mais apaixonado pela corrida do que aquela que eu identifiquei em meio à multidão. Uma bandana cobria sua careca, e círculos escuros faziam sombra em seus olhos. Aquela mulher tinha câncer. Enquanto nós corríamos por gentileza, ela corria por convicção. Ela sabe como as vítimas de câncer se sentem. Com ela também foi assim.

Com Jesus também foi. "Ele é capaz de socorrer aqueles que também estão sendo tentados."

Quando você recorre a *ele* pedindo socorro, ele corre para socorrê-lo. Por quê? Ele sabe como você se sente. Com ele também foi assim.

À propósito, lembra-se de como Jesus não hesitava em chamar seus antepassados de família? Ele tampouco tem vergonha de você: "Tanto o que santifica [Jesus] quanto os que são santificados provêm de um só. Por isso, Jesus não se envergonha de chamá-los de irmãos" (Hebreus 2:11).

Ele não tem vergonha de você. Tampouco está confuso por você. Suas ações não o assombram. Suas falhas e seus fracassos não o incomodam. Então siga com ele. Afinal de contas, você faz parte da família dele.

3

Amigo dos fracassos

Pessoas sombrias
Mateus 9:9-13

Passando por ali, Jesus viu um homem chamado Mateus, sentado na coletoria, e disse-lhe: "Siga-me." Mateus levantou-se e o seguiu (Mateus 9:9).

A surpresa nesse convite era o convidado — um coletor de impostos. Combine a ganância de um executivo desonesto com a arrogância de um daqueles evangelistas melosos da televisão. Jogue um pouco da petulância daqueles advogados de porta de cadeia e a covardia de um atirador insano. Acrescente a moralidade de um cafetão e termine com o senso ético de um traficante de drogas — qual o resultado dessa mistura?

Um coletor de impostos do século 1º.

De acordo com os judeus, esses sujeitos ficavam abaixo dos plânctons na cadeia alimentar. César permitia que esses cidadãos judeus taxassem quase qualquer coisa — seu barco, o peixe que você pesca, sua casa, suas colheitas. Desde que dessem a César o que lhe pertencia, o resto podia ficar com eles.

Mateus era um coletor de impostos públicos. Os coletores de impostos particulares contratavam outras pessoas para fazer o serviço sujo. Os publicanos, como Mateus, só estacionavam sua *limousine* na parte mais pobre da cidade e montavam seu barraco. Maus como pica-paus.

Seu nome de batismo era Levi, um nome de sacerdote (Marcos 2:14, Lucas 5:27,28). Será que seus pais haviam sonhado um futuro de sacerdócio para ele? Se foi esse o caso, ele foi um fracasso no círculo familiar.

Pode apostar que ninguém gostava dele. Churrasco na vizinhança? Nunca era convidado. Reuniões da turma da escola? De maneira nenhuma. Seu nome ficava de fora da lista. Esse cara era mais evitado que estreptococo A. Todo mundo mantinha distância de Mateus.

Todos, menos Jesus. "Venha ser meu discípulo", Jesus disse a ele. "Mateus levantou-se e o seguiu" (Mateus 9:9).

Mateus já devia estar maduro. Jesus pouco teve de insistir. Logo os amigos sombrios de Mateus e os seguidores "verdes" de Jesus já estavam trocando endereços de *e-mail*. "Então, Levi ofereceu um grande banquete a Jesus em sua casa. Havia muita gente comendo com eles: publicanos e outras pessoas" (Lucas 5:29).

O que você supõe que levou àquela festa? Vamos tentar imaginar. Posso ver Mateus voltando a seu escritório e empacotando seus pertences. Ele retira da parede seu "Pilantra do ano" e encaixota seu diploma da Escola de Negócios Escusos. Seus colegas de trabalho começam a fazer perguntas.

"Que é isso, Mat? Vai fazer um cruzeiro?"

"E aí, Mateus, a patroa te botou para fora de casa?"

Mateus não sabe o que dizer. Ele murmura alguma coisa sobre uma mudança de emprego. Mas, a caminho da porta, faz uma pausa. Com sua caixa cheia de material de escritório embaixo do braço, ele olha para trás. Estão olhando para ele com cara de quem comeu e não gostou — um olhar meio triste, meio surpreso.

Ele sente um nó na garganta. Oh, esses caras não valem a pena. Os pais costumam alertar as crianças contra gente desse tipo. A boca suja. A moral questionável. Sabem de cor o número do cara que faz apostas. O leão-de-chácara do "Clube dos cavalheiros" manda cartões de aniversário para esse pessoal. Mas amigos são amigos. Ainda assim, o que ele pode fazer? Convidá-los para conhecer Jesus? É, isso mesmo! Eles gostam de pregadores tanto quanto as ovelhas gostam dos açougueiros. Dizer a eles para assistir aos evangelistas na tevê? Eles vão achar que perucas são requisitos para se seguir Cristo. E se ele enfiasse trechos da Torá em suas gavetas? Não, esse povo não lê.

Então, sem saber mais o que fazer, ele dá de ombros e faz um aceno de cabeça. "Essa maldita alergia", diz, removendo uma lágrima do canto do olho.

Mais tarde, nesse mesmo dia, a mesma coisa acontece. Vai para o bar, para acertar as contas. É um ambiente de decoração proletária-chique: esfumaçado com uma luminária com marcas de cerveja sobre a mesa de sinuca e uma vitrola de ficha no canto. Não é bem chique como o Country Clube, mas é onde Mateus se sente em casa, sem estar em casa. E quando ele diz ao dono que está indo embora, o balconista responde: "Ei, o que é isso, Mat? O que está rolando?"

Mateus murmura qualquer coisa sobre uma transferência, mas parte com a sensação vazia no ventre.

Mais tarde, encontra-se com Jesus no jantar e compartilha seu problema. "São meus amigos — você sabe, o pessoal do escritório. E o sujeito no bar."

"O que tem eles?", pergunta Jesus.

"Bem, sabe como é… Nós fazemos tudo juntos. Vou sentir saudade deles. O Josué, por exemplo, é um pilantra de marca maior, mas visita órfãos aos domingos. E o Bruno, o da ginástica? Não vale nada o sujeito, mas eu nunca tive amigo melhor do que ele, já me livrou da cadeia três vezes."

Jesus faz sinal para que ele continue. "E qual é o problema?"

"Bem, eu vou sentir falta desses caras. Quer dizer, não tenho nada contra o Pedro, o Tiago e o João, Jesus... mas eles são, tipo, manhã de domingo, e eu sou mais tipo sábado à noite, entende? Eu tenho um ritmo próprio, sabe?"

Jesus começa a sorrir e a sacudir a cabeça: "Mateus, Mateus, você acha por acaso que eu vim colocar você em quarentena? Seguir-me não significa dar adeus a seus amigos. É bem ao contrário. Eu quero conhecê-los."

"Está falando sério?"

"Tão sério quanto posso."

"Mas, Jesus, esses caras... metade deles está em liberdade condicional. Josué não usa meias desde seu bar mitzvah..."

"Não estou falando de um culto ou serviço religioso, Mateus. Deixe-me perguntar — o que é que você gostaria de fazer? Jogar boliche? Banco imobiliário? Sabe jogar golfe?"

Os olhos de Mateus se acendem. "Você deveria me ver cozinhando. Eu com os filés sou como a baleia com Jonas."

"Perfeito", sorri Jesus. "Então você vai dar uma festinha de despedida. Um bota-fora. Chame a turma toda."

Mateus se empolgou. Chamou o pessoal da comida, seu caseiro, sua secretária. "Espalha a notícia, Telma. Bebida e comida na minha casa hoje à noite. Fala para todo mundo vir e trazer companhia."

Então Jesus termina na casa de Mateus, um duplex classudo com vista para o mar da Galileia. Estacionados à porta estão vários carrões: *BMW, limousines* e motos *Harley-Davidson*. E, considerando quem está lá dentro, esta noite não será uma reunião de clérigos.

Os rapazes têm brincos na orelha, as moças têm tatuagens no corpo. Cabelos com gel. Música que faz a raiz dos dentes ranger. E correndo de um lado para o outro nessa multidão está Mateus, fazendo mais conexões que um eletricista. Ele apresenta Pedro à banda dos coletores de impostos e Marta ao pessoal da cozinha. Simão, o zelote, encontra uma antiga colega de escola. E Jesus. Ele está radiante. O que poderia ser melhor? Pecadores e santos no mesmo ambiente, e ninguém tentando determinar quem é o quê. Mas, lá por volta de uma hora, as portas se abrem e uma brisa gelada sopra para dentro. "'Mas os fariseus e aqueles mestres da lei que eram da mesma facção queixaram-se aos discípulos de Jesus: Por que vocês comem e bebem com publicanos e 'pecadores'?" (Lucas 5:30).

Entra a polícia religiosa e sua piedade severa. Seus livrões pretos embaixo do braço. Alegres como carcereiros siberianos. Colarinhos de clérigo tão apertados que suas veias se incham. Eles gostam de colocar coisas para queimar. Mas não são filés.

Mateus é o primeiro a ouvir a bronca. "Que espécie de religiosos são vocês", diz um deles, praticamente estirando um músculo da sobrancelha. "Olha só para o tipo de gente com quem vocês se misturam."

Mateus não sabe se fica com raiva ou se foge. Antes que possa escolher, Jesus intervém, explicando que Mateus está no lugar exato em que deveria estar. "Os que têm saúde não precisam de médico, mas sim os doentes. Eu não vim para chamar os bons, mas para chamar os pecadores, a fim de que se arrependam dos seus pecados" (vv. 31,32, NTLH).

Que história! Mateus deixou de ser um pilantra e tornou-se um discípulo. Ele oferece uma festa que deixa a direita religiosa em polvorosa, mas deixa Cristo orgulhoso. Os mocinhos saem bem na fita, e os bandidos se mandam. Uma história e tanto.

E o que fazemos com essa história?

Isso depende do lado em que você estiver sentado à mesa do coletor de impostos. Você e eu somos Mateus. Não me olhe assim. Há safadeza suficiente no melhor de nós para nos qualificar à mesa de Mateus. Pode ser que você nunca tenha recolhido impostos, mas você já tomou liberdades com a verdade, já levou crédito que não lhe pertencia, já tirou vantagem dos fracos. Você e eu? Mateus.

Se você ainda estiver à mesa, receberá um convite. "Siga-me." E daí que você tem uma reputação meio manchada? Mateus também tinha. Quem sabe você não escreve o próprio evangelho?

Se você já saiu da mesa, receberá um esclarecimento. Não é preciso ser um solitário para seguir Jesus. Não precisa parar de gostar de seus amigos para segui-lo. Bem pelo contrário. Algumas apresentações viriam bem a calhar. Você sabe fazer churrasco?

Há algum tempo, me convidaram para um jogo de golfe. O quarteto era composto por dois pastores, um líder da igreja e um "Mateus a.C". A perspectiva de passar quatro horas com três cristãos, dois deles acostumados ao púlpito, não lhe apetecia muito. Seu melhor amigo, um seguidor de Cristo e seu patrão, insistiu, e assim ele concordou. Posso relatar com alegria que ele achou a experiência agradável. No nono buraco, ele voltou-se para nós e disse, sorrindo, "estou tão feliz que vocês são caras normais". Acho que é isso o que ele queria dizer: "Estou feliz por vocês não terem me perturbado ou tentado me cutucar com tacos-Bíblia. Agradeço por vocês rirem das minhas piadas e por contarem algumas piadas vocês mesmos. Obrigado por serem normais." Nós não havíamos baixado nossos padrões.

Tampouco tínhamos nos colocado no pedestal. Fomos legais. Normais e legais.

Ser discípulo algumas vezes significa ser normal.

Uma mulher em uma pequena comunidade no Arkansas era mãe solteira, com um bebê de saúde frágil. Sua vizinha passava algumas horas ao longo da semana com a criança, para que a mulher pudesse fazer compras. Após algum tempo, a mulher passou a compartilhar mais do que o tempo junto, passou a compartilhar a fé da vizinha, e a mulher fez o que Mateus fez. Ela seguiu Cristo.

Os amigos da mãe solteira contaram suas objeções. "Sabe-se lá o que essa gente ensina?", contestaram.

"O que eu sei", ela contou a eles, "é que eles cuidaram do meu bebê."[1]

Acho que Jesus teria gostado dessa resposta, você não concorda?

4

A mão que Deus gosta de segurar

A mão que Deus pode deixar de seguir

Pessoas desesperadas
Marcos 5:25-34

Para ver a mão dela você tem de olhar para baixo. Olhe para baixo. É lá que ela vive. Embaixo, no chão. Embaixo, na lista de prioridades. Embaixo, na escala social. Ela está por baixo.

Você consegue ver? A mão dela? Protuberante. Fina. Infecta. O barro encarde as unhas e mancha a pele. Olhe atentamente por entre os joelhos e os pés da multidão. Estão se esgueirando atrás de Cristo. Ele caminha. Ela rasteja. As pessoas trombam com ela, mas ela não para. Outros reclamam. Ela não se importa. A mulher está desesperada. O sangue não permanecia no corpo. "E estava ali certa mulher que havia doze anos vinha sofrendo de uma hemorragia." Doze anos de médicos. Tratamentos. Ervas. Orações. Passes.

"Ela padecera muito sob o cuidado de vários médicos e gastara tudo o que tinha" (v. 26). Você pode detectar o charlatanismo nessa frase? Médicos que tiraram — não a doença — mas proveito dela. Ela "gastara tudo o que tinha, mas, ao invés de melhorar, piorava" (v. 26).

Sem saúde. Sem dinheiro. E sem família para ajudar. Não estava limpa, segundo a lei de Moisés. A Lei protegia as mulheres dos homens agressivos e insensíveis, durante aquele período do mês. No caso extremo dessa mulher, a Lei a tornara não intocada, mas intocável, não estava limpa, cerimonialmente.

A mão que você viu na multidão? A mão que tentava pegar a túnica? Ninguém a tocaria.

Não tinha sido sempre assim. Certamente um marido a tinha tomado por esposa algum dia. A mão parecia diferente naquele tempo: limpa, suave, delicada, perfumada. Um marido havia amado aquela mão um dia.

Uma família havia confiado naquela mão um dia. Para cozinhar. Para secar as lágrimas das faces, para puxar os cobertores até o queixo. As mãos das mães não param.

Só se estiverem doentes.

Talvez o marido tenha tentado ficar com ela, acompanhando-a aos médicos e centros de tratamento. Ou talvez ele tenha desistido rapidamente, esgotado por seus desmaios, náuseas e anemias. Então ele a mandou embora. Uma muda de roupas e um punhado de trocados — e só. Fecha a porta.

Então ela não tem nada. Não tem dinheiro. Não tem lar. Não tem saúde. Sonhos dilapidados. Fé soterrada. Não é bem-vinda na sinagoga. Não é querida pela comunidade. Por doze anos ela sofreu. Não tem nada, e sua saúde está piorando.

Talvez tenha sido isso. "Ao invés de melhorar, ela piorava" (v. 26). Naquela manhã, ela mal podia se sustentar em pé. Ela jogou alguma água em seu rosto e ficou horrorizada ao ver o reflexo na poça. O que você vê nas fotos do campo de concentração de Auschwitz, ela viu naquele reflexo — ossos proeminentes, pele encarquilhada e dois olhos cavados.

Ela está desesperada. E, em seu desespero, nasce uma ideia. "Ela havia escutado falar de Jesus" (v. 27, NTLH). Todas as sociedades têm sua rede de informação, até mesmo — ou especialmente — a sociedade dos enfermos. Já se comentava entre os leprosos e abandonados o seguinte: Jesus pode curar. E Jesus está vindo. A convite do chefe da sinagoga, Jesus está chegando a Cafarnaum.

É estranho encontrar o chefe e a mulher na mesma história. Ele, poderoso. Ela, miserável. Ele, procurado. Ela, insignificante. Ele no alto. Ela por baixo. Mas a filha dele está morrendo. A tragédia nivela a topografia social. Então eles se encontram no mesmo caminho na vila e na mesma página na Bíblia. "Se eu apenas tocar na capa dele, ficarei curada" (v. 28). No momento certo, ela se esgueira pela multidão. Os joelhos batem em suas costelas. "Sai do caminho!", alguém grita. Ela não liga e não para. Doze anos nas ruas lhe deram uma resistência.

O manto de Jesus está em vista. Quatro cordões pendem de costuras azuis. Ornamentos do sagrado em roupas de judeus. Ela toca o manto de Jesus e "logo o sangue parou de escorrer, e ela teve certeza de que estava curada" (v. 29, NTLH).

A vida volta a correr em suas veias. Suas faces enrubescem-se. A respiração passa de arfadas para longas baforadas. Uma represa parte-se e um rio volta a fluir. A mulher sente a força lhe penetrando. E Jesus? Jesus sente a força saindo. "No mesmo instante Jesus sentiu que dele havia saído poder. Então se virou no meio da multidão e perguntou: Quem tocou na minha capa?'" (v. 30, NTLH).

Será que Cristo se surpreendeu com Cristo? Será que o Jesus divino moveu-se mais rápido do que o Jesus humano? O Salvador ficou à frente do vizinho? "Quem foi que tocou na minha capa?"

Seus discípulos estranham a pergunta. "Os discípulos responderam: 'O senhor está vendo como esta gente o está apertando de todos os lados e ainda pergunta isso?' Mas Jesus ficou olhando em volta para ver quem tinha feito aquilo" (vv. 31,32, NTLH).

Podemos culpar a timidez dessa mulher? Ela não sabe o que esperar. Jesus poderia enxotá-la, constrangê-la. Além disso, ele era sua última escolha. Ela havia procurado a ajuda de dezenas de outros antes de vir à sua procura. E o que as pessoas farão? O que fará o chefe da sinagoga? Ele tem uma grande reputação. Ela não está limpa. E aí está ela, perturbando o convidado da cidade. Não é de estranhar que ela estivesse com medo.

Mas ela tem uma razão para ter coragem. Ela está curada. "A mulher, sabendo do acontecido, sabendo que era ela de quem ele falava, apresentou-se, atemorizada e tremendo, ajoelhou-se ante ele e contou a história toda" (v. 33, paráfrase).

"A história toda". Quanto tempo fazia que ninguém colocava a marcha em ponto morto, puxava o freio, desligava a chave e prestava atenção em sua história? Mas quando essa mulher se volta, ele presta atenção. Com o bispo da cidade esperando, uma menina morrendo, uma multidão apressando-a, ele ainda encontra tempo para uma mulher à margem da sociedade. Usando uma palavra que não dá a ninguém mais, ele diz "minha filha, você sarou porque teve fé. Vá em paz; você está livre do seu sofrimento" (v. 34, NTLH).

E Cristo prossegue em seu caminho.

E ela prossegue em seu caminho.

Mas não podemos fazer o mesmo. Não podemos porque conosco também foi assim. Nós fomos ela. Estivemos lá. Somos ela. Exasperados. Encardidos. Esgotados.

A doença roubou a força dela. O que roubou a sua? Os prejuízos financeiros? A bebida? As noites passadas nos braços de quem não devia? Longos dias nos empregos errados? Uma gravidez precoce? Mais filhos do que poderia ter? A mão dela é a sua mão? Então, crie coragem. Sua família pode desprezá-lo. A sociedade pode evitá-lo. Mas Cristo? Cristo quer tocá-lo. Quando sua mão se estender no meio da multidão, ele saberá.

Sua mão é a que ele gosta de segurar.

5

Tente outra vez

Pessoas desencorajadas
Lucas 5:1-11

Há um olhar que quer exprimir que "é tarde demais". Você já o viu. Os olhos que rolam para cima, a cabeça que meneia, os lábios que se comprimem.

Sua amiga está a um dia do divórcio. Tomando um café com ela, você clama: "não dá para tentar mais uma vez?"

Ela dá de ombros. "Já fiz isso."

Seu pai não fala com seu irmão. Não fala há anos. "Não dá para tentar mais uma vez?", você pergunta a seu pai. Ele olha de lado, respira fundo e suspira.

Faltando cinco anos para a aposentadoria, o colapso da economia liquida as economias de seu marido. Você tenta lidar o melhor que pode com isso. "Você pode voltar para a faculdade. Aprender outro ofício." Dava no mesmo se você sugerisse a ele cruzar o Atlântico a nado. Ele sacode a cabeça dizendo, "sou velho demais... é tarde demais".

Tarde demais para salvar um casamento.

Tarde demais para reconciliar.

Tarde demais para começar uma nova carreira.

Tarde demais para pegar qualquer peixe. Ou pelo menos é o que Pedro pensa. Durante a noite toda ele tentou pescar. Ele testemunhou tanto o nascer quanto o pôr-do-sol, mas não tem nada para mostrar. Enquanto os outros pescadores limpavam suas pescas, ele só limpava suas redes. Mas agora Jesus quer que ele tente de novo.

"Certo dia, Jesus estava perto do lago de Genesaré, e uma multidão o comprimia de todos os lados para ouvir a palavra de Deus" (Lucas 5:1).

O maré de Genesaré, ou da Galileia, é um corpo d'água que mede dez por vinte quilômetros no norte de Israel. Hoje em dia suas margens sonolentas atraem somente um bando de turistas e um punhado de pescadores. Mas, nos dias de Jesus, era coalhado de gente. Nove das vilas ribeirinhas perfaziam mais de quinze mil habitantes. E a impressão que dá é que uma boa parte dessas pessoas estava presente na manhã que Cristo ministrava na praia. À medida que as pessoas chegavam, mais gente se aproximava, pressionando. A cada vez que pressionavam, Jesus dava um passo para trás. Logo ele estava saindo da areia e entrando na água. E foi quando teve uma ideia.

> Viu dois barcos à beira do lago, deixados ali pelos pescadores, que estavam lavando as suas redes. Entrou em um dos barcos, o que pertencia a Simão, e pediu-lhe que o afastasse um pouco da praia. Então se sentou, e do barco ensinava o povo. Tendo acabado de falar, disse a Simão: "Vá para onde as águas são mais fundas", e a todos: "Lancem as redes para a pesca" (v. 2-4).

Jesus precisava de um barco. Pedro providenciou um. Jesus pregou. Pedro está satisfeito em só ouvir. Jesus propõe uma pescaria no meio da manhã, e Pedro olha Jesus com aquela expressão. O olhar de "é tarde demais". Ele corre seus dedos pelo cabelo e suspira: "Mestre, esforçamo-nos a noite inteira e não pegamos nada" (v. 5). Você pode sentir a desesperança de Pedro?

Os barcos flutuaram sem peixes sobre a lâmina negra do mar a noite inteira. As lanternas dos navios distantes brilhavam como vaga-lumes. Os homens jogaram suas redes e encheram o ar com a percussão de sua atividade.

Balança, joga... silêncio.

Balança, joga... silêncio.

Meia-noite.

Vozes excitadas do outro lado do lago alcançam os homens. Outro barco encontrou um cardume. Pedro pensa se deveria aproximar-se deles, mas decidiu não fazê-lo.

Balança, joga... silêncio.

Duas da manhã. Pedro descansava enquanto seu irmão pescava. Então foi a vez de André descansar. Tiago, que flutuava ali perto, sugeriu que mudassem de lugar. Os outros concordaram. O vento inflou as velas e soprou o barco para uma enseada. O ritmo recomeçou.

Balança, joga... silêncio.

Puxar a rede era muito fácil. Fácil demais. Nessa noite, o lago era uma dama comportada. Não importando quanto os homens piscassem ou assobiassem, ela nada dava em troca.

No fim, os raios dourados ocuparam o céu. Na maioria das manhãs, o nascer do sol inspirava os homens. Hoje, ele somente os exasperava. Eles não queriam vê-lo. Quem quer voltar ao porto com um barco vazio? Quem quer atracar e limpar, sabendo qual é a primeira pergunta que a mulher vai fazer? E, acima de tudo, quem é que quer ouvir um bem descansado carpinteiro-que-virou-rabino dizer: "Vá para onde as águas são mais fundas e lancem as redes para a pesca" (v. 4).

Oh, talvez os pensamentos de Pedro tenham sido *estou cansado. Esgotado. Eu só quero comer e ir para a cama; não quero sair para a pescaria. Por acaso eu sou o guia da excursão dele? Além disso, metade da Galileia está nos olhando. Já me sinto como um otário. Agora ele quer que a gente dê um show de pescaria no meio da manhã? Não dá para pescar nada de manhã! Estou fora.*

Qualquer que tenham sido o pensamento de Pedro, ele pode ser destilado por esta frase: "Mestre, esforçamo-nos a noite inteira e não pegamos nada."

Você tem redes puídas, molhadas e vazias? Você conhece a sensação de noites sem sono e sem peixes? É claro que conhece. O que é que o está condenando?

Sobriedade? "Dei um duro danado para ficar sem beber, mas..."

Insolvência? "Minhas dívidas são como uma bigorna pendurada no meu pescoço..."

Fé? "Eu até quero acreditar, mas..."

Cura? "Há tanto tempo estou doente..."

Um casamento feliz? "Não importa o que eu faça..."

Eu dei duro a noite inteira e não consegui pescar nada.

Você já sentiu o que Pedro sentiu. Você já esteve onde Pedro está. E agora Jesus está pedindo que você vá pescar. Ele sabe que suas redes estão vazias. Ele sabe que seu coração está exausto. Ele sabe que não há nada que você gostaria mais do que poder dar as costas à bagunça e encerrar por hoje.

Mas ele clama: "Não é tarde demais para tentar de novo."

Veja se a resposta de Pedro não o ajudaria a formular sua resposta. "Porque és tu quem está dizendo isto, vou lançar as redes" (v. 5).

Não há muita paixão nessas palavras. Você até poderia esperar por sorrisos ofuscantes e punhos socando o ar. "Jesus está aqui no barco! Mãe, vai esquentando o forno!" Mas Pedro não mostra sinais de animação. Ele não está animado. Agora vai ter de desembalar as redes, montar os remos e convencer Tiago e

João a deixar o descanso para mais tarde. Ele tem de trabalhar. Se a fé fosse medida em metros, a sua seria um milionésimo de milímetro. Inspirado? Não. Mais obediente? Admiravelmente. E um milionésimo de milímetro é tudo o que Jesus quer.

"Vá para onde as águas são mais fundas", instruiu o homem-Deus.

Por que as águas mais fundas? Você acha que Jesus sabia de algo que Pedro ignorava?

Você acha que Jesus está fazendo com Pedro o que os pais fazem com nossas crianças no domingo de Páscoa? Elas acham a maioria dos ovos por conta própria, mas alguns tesouros inevitavelmente sobrevivem à primeira colheita. "Veja", eu sussurava no ouvido de minhas filhas, "atrás da árvore". Uma rápida busca atrás da árvore, e puxa! Papai tinha razão. Descobrir onde estão os tesouros é fácil para aquele que os escondeu. Encontrar peixes é fácil para o Deus que os criou. Para Jesus, o mar da Galileia é como um aquário barato no armário da cozinha.

Pedro balança a rede, deixa que ela caia sobre a superfície da água e desapareça, afundando. Lucas não nos disse o que Pedro fez enquanto esperava a rede submergir, assim eu tampouco direi. (Estou espiando o céu para ver se cai um raio.)

Gosto de pensar que Pedro, enquanto segurava a rede, olhou por cima de seus ombros para Jesus. E gosto de pensar que Jesus, sabendo que Pedro está a ponto de quase cair no mar, começa a sorrir. Um sorriso tipo pai-filha-ovo-de-páscoa. Suas bochechas erguidas fazem de seus olhos meias-luas. Um rasgo de branco surge abaixo de seu bigode. Ele tenta segurar o sorriso, mas não consegue.

Há tantos motivos para sorrir! É domingo de Páscoa, e o gramado está coalhado de garotos. Espere até eles chegarem atrás da árvore.

Quando o fizeram, pegaram tal quantidade de peixe que as redes começaram a rasgar-se. Então fizeram sinais a seus companheiros no outro barco, para que viessem ajudá-lo; e eles vieram e encheram ambos os barcos, a ponto de quase começarem a afundar (v. 6,7).

Os braços de Pedro estão estendidos para fora do barco, segurando a rede. É tudo o que ele pode fazer para se segurar até que o resto dos rapazes possa ajudá-lo. Em poucos momentos, os quatro pescadores e o carpinteiro estão até os joelhos de criaturas prateadas saltitantes.

Pedro ergue os olhos da pescaria e mira o rosto de Cristo. Nesse momento, pela primeira vez, ele vê Jesus. Não Jesus, o Encontrador de peixes. Não Jesus, o Ímã de multidões. Não Jesus, o Rabino. Pedro vê Jesus, o Senhor.

Pedro prostra-se no chão, com a cara enterrada nos peixes. O fedor não o incomoda. É o próprio fedor que o incomoda. "Afasta-te de mim, Senhor, porque sou um homem pecador!" (v. 8).

Cristo não tinha intenção nenhuma de atender àquele pedido. Ele não abandona os safados autoconfessos. Muito pelo contrário, ele os convoca. "Não tenha medo; de agora em diante você será pescador de homens" (v. 10).

Ao contrário do que você talvez tenha aprendido, Jesus não limita seu recrutamento àqueles com corações valentes. Os abatidos e os esgotados são seu alvo principal, e sabe-se que ele costumava subir em barcos, bares e bordéis para dizer-lhes "não é tarde demais para recomeçar".

Pedro aprendeu sua lição. Mas, quem diria, Pedro esqueceu sua lição. Passaram-se só dois anos para que o homem que confessara Cristo em um barco passasse a amaldiçoar Cristo quando a situação estava quente. Na noite anterior à crucificação de Jesus, Pedro disse às pessoas que nunca havia ouvido falar em Jesus.

Ele não poderia ter cometido um erro mais trágico. Ele sabia disso. O pescador abrutalhado enfiou seu rosto barbudo em suas mãos grossas e passou a noite de sexta-feira aos prantos. Todos os sentimentos daquela manhã na Galileia voltaram para ele naquele instante.

Era tarde demais.

Mas então veio o domingo. Jesus voltou! Pedro o viu. Pedro estava convencido de que Cristo havia voltado dos mortos. Mas, aparentemente, Pedro não estava convencido de que Cristo voltava por ele.

Então ele voltou ao barco — ao mesmo barco, à mesma praia, ao mesmo mar. Desistiu de sua aposentadoria. Ele e seus amigos limpavam as cracas do casco, desembalavam as redes e empurraram o barco para a água. Pescaram a noite toda, e, honestamente, nada pescaram.

Pobre Pedro. Fracassou como discípulo. Agora fracassa como pescador. Quando ele já estava pensando se seria tarde demais para tentar a carpintaria, o céu tornou-se alaranjado, e ouviram uma voz dizer lá na margem. "Tiveram sorte?"

Gritaram de volta: "Não!"

"Tentem o outro lado do barco!"

Com nada a perder e nenhum orgulho a proteger, eles arriscaram. "Eles a lançaram, e não conseguiam recolher a rede, tal era a quantidade de peixes" (João 21:6). Leva um tempo até que Pedro seja atingido pelo *déjà-vu*. Mas quando o faz, ele pula na água e nada o mais rápido que pode para ver aquele que o amava tanto a ponto de reoperar um milagre. Dessa vez, a mensagem colou e ficou.

Pedro nunca mais pescou peixes. Passou o resto de seus dias dizendo a quem quer que o escutasse: "não é tarde para tentar de novo."

É tarde demais para você? Antes que diga sim, antes que recolha as redes e tome o rumo de casa — responda a algumas perguntas. Você deu a Cristo o seu barco? A dor de seu coração? Seus dilemas sem fim? Sua batalha? Você realmente deu tudo a ele? E você foi a fundo? Você ultrapassou as soluções rasteiras em busca das provisões profundas que Deus pode fornecer? Tente o outro lado do barco. Vá mais a fundo do que já foi. Você pode encontrar o que Pedro encontrou. A recompensa por seu segundo esforço não foi os peixes que ele pescou, mas o Deus que ele encontrou.

O Deus-homem que localiza cada pescador esgotado, que se preocupa o suficiente para entrar em seus barcos, que dá as costas à multidão de adoradores para resolver a frustração de um amigo. O Salvador ao lado que sussurra suas palavras para os proprietários de redes vazias. "Vamos tentar de novo — só que dessa vez comigo a bordo."

6

Terapia do cuspe

Pessoas que sofrem
João 9:1-38

O velho da esquina não o havia visto. Tampouco a vendedora de figos. Jesus descreve-o para os escrivãos nas portas da cidade e para as crianças no pátio. "Ele é mais ou menos desta altura. As roupas estão em trapos. A barba vai até a barriga."

Ninguém fazia ideia.

Na maior parte do dia, Jesus procurou para baixo e para cima as ruas de Jerusalém. Não parou para almoçar. Não parou para descansar. As únicas vezes que seus pés não se movem é quando ele está perguntando: "Desculpem-me, mas vocês por acaso não viram aquele sujeito que costumava mendigar na esquina?"

Procurou no estábulo dos cavalos e verificou o telhado de um barracão. E agora Jesus vai de porta em porta. "Ele se parece com um sem-teto", Jesus diz às pessoas. "Largado. Sujo. E tem as pálpebras lamacentas."

Por fim, um garoto lhe dá uma pista. Jesus pega uma ruela que leva ao templo e para diante de um homem sentado em um toco, entre dois jumentos. Cristo se aproxima por trás e põe uma das mãos em seu ombro. "Aqui está! Estive procurando por você." O sujeito vira-se e, pela primeira vez, vê o homem que lhe fez ver. E o que o homem faz em seguida você pode achar difícil de acreditar.

Deixe-me recordá-lo. João nos apresentou a ele com essas palavras. "Ao passar, Jesus viu um cego de nascença" (João 9:1). Esse homem nunca havia visto o sol nascer. Não sabia a diferença entre roxo e rosa. Os discípulos buscavam a culpa na árvore genealógica. "Mestre, quem pecou: este homem ou seus pais, para que ele nascesse cego?" (v. 2).

Nem um, nem outro, o Deus-homem responde. A raiz da sua deficiência estava no Céu. A razão pela qual o homem era cego? Isso ocorrera "para que a obra de Deus se manifestasse na vida dele" (v. 3).

Pense em um papel desgraçado. Escolhido para sofrer. Alguns cantam pela glória de Deus. Outros ensinam pela glória de Deus. Quem quer ser cego pela glória de Deus? O que é mais difícil, a deficiência ou saber que foi ideia de Deus?

A cura mostrou-se ser tão surpreendente quanto a causa. "[Jesus] cuspiu no chão, misturou terra com saliva e aplicou-a aos olhos do homem" (v. 6).

O mundo é abundante de pinturas do Deus-homem: nos braços de Maria, nos Jardins de Getsêmani, na Santa Ceia, no sepulcro sombrio. Jesus tocando as pessoas. Jesus chorando, rindo, ensinando... mas nunca vi nenhuma pintura com Jesus cuspindo.

Cristo bochechando um pouco, juntando um pouco de saliva, acumulando baba e botando para fora. Bem no chão. (Crianças, na próxima vez que suas mães falarem para vocês não cuspirem no chão, mostrem essa passagem para ela.) Então ele se acocoroca, mexe em uma poça de... nem eu sei, como é que você chamaria aquilo?

Baba sagrada? Terapia do cuspe? A solução saliva? Não importa o nome, ele mete uma dedada daquilo na palma de sua mão, e então, com a calma de um pintor que preenche com massa uma rachadura na parede, Jesus espalha a lama milagrosa nos olhos do homem cego. "Vá lavar-se no tanque de Siloé" (v. 7).

O mendigo tateia seu caminho até o tanque, joga um pouco de água sobre sua cara enlameada e esfrega para tirar o barro. O resultado é o primeiro capítulo do Gênesis, só para ele. Luzes onde só havia breu. Os olhos virgens procuram o foco, as figuras disformes tornam-se seres humanos, e João ganha o prêmio de frase mais singela de toda a Bíblia quando escreve... "O homem foi, lavou-se e voltou vendo" (v. 7).

Qual é, João? Está com falta de verbos? Que tal "ele *correu* de volta vendo"? "Ele *dançou* de volta vendo"? "Ele *disparou* de volta pulando e berrando e beijando todas as coisas que ele, pela primeira vez, estava vendo"? O sujeito tinha de estar eufórico.

Nós o deixaríamos assim desse jeito, mas, se a vida desse homem fosse como a fila de um bandejão, nós acabamos de pular o filé mignon para encher o prato de chuchu. Olhe para as reações dos vizinhos. "'Não é este o mesmo homem que costumava ficar sentado, mendigando?' Alguns afirmavam que era ele. Outros diziam: 'Não, apenas se parece com ele'. Mas ele próprio insistia: 'Sou eu mesmo'" (vv. 8,9).

Esse pessoal não celebrava, debatia! Tinham visto esse homem tatear e tropeçar desde que ele era criança (v. 20). É de se pensar que eles estariam em júbilo. Mas não estavam. Eles o arrastaram para a igreja e o fizeram passar por um teste kosher. Quando os fariseus pediram uma explicação, o ex-cego disse: "Ele pôs lama nos meus olhos, eu lavei o rosto e agora estou vendo" (v. 15, NTLH).

De novo paramos para esperar os aplausos, mas ninguém aplaude. Não há reconhecimento. Nenhuma celebração. Ao que parece, Jesus falhou por não consultar os manuais de cura.

"O dia em que Jesus havia feito lama e curado o homem da cegueira era um sábado. [...] Alguns fariseus disseram: 'O homem que fez isso não é de Deus porque não respeita a lei do sábado'" (vv. 14;16).

Esse barulho que você está ouvindo é o bipe do contador Geiger de absurdite. O veredicto dos líderes religiosos fez saltar a agulha. Eis uma reação equivalente. Suponha que a piscina que você frequenta tem um cartaz que diz: "Resgates feitos somente por salva-vidas diplomados." Você nunca se preocupou com essa regra até o dia em que você bateu com a cabeça no chão da piscina. Você apagou a metros de profundidade.

Então, quando acorda, está o barriga para cima ao lado da piscina, cuspindo água. Alguém o salvou. E, quando o salva-vidas aparece, o sujeito que tirou você do fundo da piscina desaparece. Quando recobra os sentidos, você conta-lhes a história. Mas, no lugar de alegria, as pessoas mostram-se contrariadas. "Não vale! Não vale!", gritam como juízes de uma partida em que anulam um gol feito com a mão. "Não foi oficial. Não é legal. Já que o salva-vidas não era diplomado, considere-se afogado."

Que estupidez, você pensa. Será que ninguém vai ficar feliz com esse homem que ganhou a visão? Os vizinhos não ficaram. Os sacerdotes tampouco. Espere: lá vêm seus pais. Mas a reação dos pais do ex-cego é ainda pior.

> Os judeus não acreditaram que ele fora cego e havia sido curado enquanto não mandaram buscar os seus pais. Então perguntaram: "É este o seu filho, o qual vocês dizem que nasceu cego? Como ele pode ver agora?" Responderam os pais: "Sabemos que ele é nosso filho e que nasceu cego. Mas não sabemos como ele pode ver agora ou quem lhe abriu os olhos. Perguntem a ele. Idade ele tem; falará por si mesmo." Seus pais disseram isso porque tinham medo dos judeus,

pois estes já haviam decidido que, se alguém confessasse que Jesus era o Cristo, seria expulso da sinagoga (vv. 18-22).

Como eles puderam fazer isso? Sim, ser expulso da sinagoga é algo sério. Mas recusar auxílio ao próprio filho não é coisa pior?

Quem estava realmente cego naquele dia? Os vizinhos não viram o homem, eles viram uma novidade. Os chefes da igreja não viram o homem, eles viram uma tecnicalidade. Os pais não viram seu filho, eles viram um constrangimento social. Por fim, ninguém o viu. "E o expulsaram" (v. 34).

E então aí está ele, em uma viela de Jerusalém. O sujeito tem de estar confuso. Nasceu cego somente para ser curado. Curado somente para ser expulso. Expulso somente para ficar sozinho. O cume do Everest e o calor do Saara, tudo no mesmo Sabá. E agora ele não pode nem mesmo mendigar. Como você se sentiria?

Talvez você saiba muito bem. Conheço um homem que enterrou quatro filhos. Uma mãe solteira na igreja está criando dois filhos autistas. Nós enterramos um vizinho cujo câncer levou a um problema cardíaco, que criou pneumonia. Seu registro de saúde tinha a espessura de um catálogo telefônico. Não parece que algumas pessoas receberam uma carga muito mais pesada do que os outros?

Se é assim, Jesus sabe. Ele sabe como eles se sentem, e sabe onde eles estão. "Jesus ouviu que eles o haviam expulsado, e foi procurar por ele" (v. 35, paráfrase). Como se não fosse suficiente ter nascido no estábulo. Como se três décadas de caminhar na Terra e operar milagres fossem insuficientes. Como se restasse alguma dúvida sobre a devoção profunda de Deus, ele ainda faz coisas assim. Ele vai atrás de um pobre pedinte.

O mendigo ergue os olhos para mirar a face daquele Um que começara tudo. Ele vai criticar Cristo? Reclamar de Cristo? Você não o poderia culpar por tomar essas atitudes. Afinal de contas, ele não pediu para ser cego nem pediu para ser curado. Mas ele não faz nada disso. Não, ele "o adorou" (v. 38). Não sabe que ele se ajoelhou? Não sabe que ele chorou? E como ele poderia evitar de passar seus braços em torno da cintura daquele Um que lhe dera a visão? Ele o adorou.

E, quando você o vir, você fará o mesmo.

Como é que eu ouso fazer tal declaração? Este livro será segurado por mãos com artrite. Estes capítulos serão lidos por olhos cheios de lágrimas. Algumas de suas pernas estão em cadeiras de roda e seu coração está sedento por esperança. Mas "essas provações são fichinha ante os bons tempos que estão para vir, a grande festa que foi preparada para nós" (2 Coríntios 4:17, paráfrase).

O dia em que você vir nosso Salvador, você sentirá um milhão de vezes mais do que o Joni Eareckson Tada sentiu no dia de seu casamento. Você conhece a história dela? Um acidente de mergulho a deixou paralisada quando tinha dezessete anos. Quase todos os seus mais de cinquenta anos têm sido gastos em uma cadeira de rodas. Sua deficiência não a impede de escrever ou de pintar ou de falar sobre seu Salvador. Nem a impediu de casar-se com Ken. Mas quase a impediu de sentir a alegria do casamento.

Joni tinha dado o melhor de si. Seu vestido de noiva estava drapeado sobre uma fina tela de arame que cobria as rodas de sua cadeira. Com flores no colo e um brilho nos seus olhos, ela se sentia "um pouco como um carro alegórico no desfile de carnaval".

Uma rampa havia sido construída, conectando o saguão ao altar. Enquanto se preparava para cruzar a rampa, Joni fez uma descoberta. Em seu vestido havia uma grande mancha de graxa, uma "gentileza" de sua cadeira de rodas elétrica. E a cadeira, ainda que toda enfeitada, era "o grande trambolho que sempre fora". Então o arranjo de margaridas de seu colo caiu para um lado, e suas mãos paralisadas não conseguiram arrumá-lo. Ela se sentia muito longe das noivas perfeitas das fotos de revistas.

Jani inclinou a cadeira para frente e olhou para o corredor. Foi aí que viu seu noivo.

> Eu o vi lá na frente, atraindo a atenção de todos e parecendo muito alto e elegante em seu traje formal. Fiquei com a cara vermelha. Meu coração começou a bater acelerado. Nossos olhos se encontraram e, surpreendentemente, a partir desse ponto tudo mudou.
>
> Minha aparência já não importava. Esqueci tudo sobre minha cadeira de rodas. Manchas de graxa? Flores fora do lugar? Quem liga? Eu já não me sentia mais feia ou sem valor; o amor nos olhos de Ken tinha varrido tudo isso para longe. Eu era a mais pura e perfeita noiva. Foi o que ele viu, e foi o que me fez mudar. Foi muito difícil me conter e não colocar a marcha mais rápida e disparar com a cadeira até o corredor para ficar com meu noivo.[1]

Quando ela o viu, esqueceu-se de si mesma.
Quando você o vir também esquecerá.
Sinto muito por seu vestido manchado de graxa. E suas flores — elas vivem caindo para o lado, não é? Quem é que tem uma resposta para doenças, decepções e partes sombrias

da vida? Eu não. Mas sabemos disso. Tudo muda quando você olha para seu noivo.

E seu noivo está chegando. Assim como chegou para o homem cego, Jesus está chegando para você. A mão que tocou o ombro do cego irá tocar sua face. A face que mudou a vida dele irá mudar a sua.

E, quando você vir Jesus, irá prostrar-se em adoração.

7

O que Jesus diz nos funerais

Pessoas enlutadas
João 11:1-44

Você nunca sabe o que dizer nos funerais. Não há exceção. A capela fica tão silenciosa quanto uma biblioteca. As pessoas se reconhecem com sorrisos tímidos e leves acenos de cabeça. Você não diz nada.

O que há para ser dito? Há um corpo falecido aqui, ora! E pensar que há poucos meses você saiu para almoçar com o sujeito. Você e Lázaro dividiram uma pizza e muitas piadas. Tirando uma tosse persistente, você acharia que ele estava saudável.

Uma semana depois você soube do diagnóstico. O doutor deu a ele sessenta dias. Ele não chegaria a tanto. Agora ambos estão no funeral dele. Ele no caixão. Você no banco da capela. A morte silenciou os dois.

A igreja está cheia, então você fica de pé, nos fundos. Vitrais prismam o sol da tarde, tingindo os rostos de púrpura e dourado. Você reconhece muitos dos que estão lá. Betânia é uma cidade pequena. As duas mulheres no banco da frente você conhece muito bem. Marta e Maria são as irmãs de Lázaro. Quieta e pensativa, a Maria. Agitada e irrequieta, a Marta. Nem aqui ela sossega. Ela fica o tempo todo olhando por cima dos ombros. *Quem ela está procurando,* você se pergunta.

Em pouco tempo, a resposta entra no recinto. E, quando o faz, ela dispara pelo corredor para encontrá-lo. Se você não soubesse seu nome, bastava ouvir os muitos sussurros para ser informado. "É Jesus." Todas as cabeças se voltam.

Ele está usando uma gravata, ainda que você fique com a impressão de que isso é uma coisa que ele raramente faz. Seu colarinho parece apertado e a jaqueta do seu paletó está fora de moda. Uma dúzia de homens, mais ou menos, o segue; alguns ficam no corredor, outros no saguão. Têm uma expressão fatigada, de quem vem de longe, como se tivessem viajado a noite toda.

Jesus abraça Marta, e ela chora. Enquanto ele chora, você se pergunta o que Jesus irá fazer. O que Jesus irá dizer. Ele já falou aos ventos e aos demônios. Notável. Mas à morte? Será que ele tem algo a dizer sobre a morte? Seus pensamentos são interrompidos pela acusação de Marta: "Senhor, se estivesses aqui, meu irmão não teria morrido" (João 11:21).

Você não pode culpá-la por sua frustração. Não são amigos, ela e Jesus? Quando Jesus e seus seguidores não tinham para onde ir, "Marta o recebeu em sua casa" (Lucas 10:38). Marta e Maria conhecem Jesus. Sabem que Jesus ama Lázaro. "Senhor", haviam dito a ele, "aquele a quem amas está doente" (João 11:3). Isso não é um daqueles pedidos que os fãs fazem aos ídolos. Isso é uma amiga precisando de socorro.

Precisando desesperadamente de socorro. A língua grega tem duas palavras principais para expressar "doença": uma descreve a presença de uma doença; a outra, seus efeitos. Marta emprega a última palavra. Uma tradução livre para o apelo de Marta seria "Senhor, aquele que amas está se esvaindo na doença".

As amigas enviam a Jesus um apelo urgente, de forma humilde, e o que é que ele faz? "Ficou mais dois dias onde estava" e não foi vê-las (v. 6). Quando ele finalmente chegou, Marta estava tão abatida que mal sabia o que dizer. Com o resto de fôlego, ela obtempera: "Senhor, se estivesses aqui, meu irmão não teria morrido" (v. 21). E ainda tem forças para dizer: "Mas também agora sei que tudo quanto tu pedires a Deus, Deus te concederá" (v. 22, Almeida Atualizada).

Todos os funerais têm suas Martas. Dispersas entre os que estão tristes está a que está desesperada. "Ajude-me a entender isso, Jesus."

Essa tem sido a oração de Karen Burris Davis desde aquela manhã de novembro quando seu filho — e, consequentemente, a luz de sua vida — não conseguiu se erguer. Jacob tinha treze anos. Era a imagem da saúde. Quatro médicos vieram, mas não puderam precisar a causa da morte. Sua resposta, diz ela, foi nenhuma resposta.

> Sinto tanta falta de Jacob que tenho dúvidas se irei conseguir. Fico no cemitério, sabendo que seu corpo está lá embaixo, e me pergunto se eu seria louca por ter vontade de cavar o chão só para poder vê-lo mais uma vez. É que eu quero tanto sentir o cheiro de seu cabelo e tocá-lo... O cheiro de uma pessoa esvai-se tão rápido de nós. Eu achava que duraria para sempre, aquele cheiro acre de menino e aqueles tênis fedidos. É claro que de vez em quando ele ficava com cheiro de sabão e xampu. A casa agora está tão vazia sem seus barulhos e planos.[1]

O luto turva os corações como a bruma da praia no inverno. O enlutado ouve as ondas, mas não vê o mar. Detecta as vozes, mas não os rostos. A vida de quem tem o coração partido torna-se a de um "observador de pés, caminhando pelo aeroporto ou pelo supermercado olhando para os pés alheios, movendo-se metodicamente por um mundo de bruma. Um pé. Depois o outro".[2]

Marta estava sentada em seu mundo empapado, brumoso, lacrimoso. E Jesus estava com ela. "Eu sou a ressurreição e a vida. Aquele que crê em mim, ainda que morra, viverá" (v. 25). Você pode imaginar essas palavras na voz do Super-homem, se quiser. Clark Kent descendo sabe-se lá de onde, rasgando a camisa e fazendo saltar os botões, para revelar o "S" em seu uniforme. "EU SOU A RESSURREIÇÃO E A VIDA!!!" Você vê um Salvador com a ternura do Exterminador do Futuro passando ao largo das lágrimas de Marta e Maria e dizendo a todos "alegria, gente, o socorro chegou"?

Eu não. Por conta do que Jesus fará em seguida. Ele chora. Ele senta-se no banco, entre Maria e Marta, coloca seus braços em torno delas e soluça. Entre os três, uma tsunami de tristeza é derramada; um dilúvio de lágrimas é vertido. Lágrimas que diluem as concepções aquarelescas de um Jesus grande herói. Jesus chora.

Ele chora com elas.

Ele chora por elas.

Ele chora com você.

Ele chora por você.

Ele chora para que saibamos que ficar de luto não significa não crer. Olhos encharcados não significam um coração sem fé. Uma pessoa pode entrar em um cemitério confiando com Jesus na vida após a morte e ainda assim ter uma cratera do tamanho das torres gêmeas no coração. Cristo era assim. Ele chorava, e sabia que estava a apenas dez minutos de ver Lázaro vivo!

E suas lágrimas dão permissão para que você chore as suas. A dor da perda não significa que você não confia; apenas significa que você não pode suportar mais um dia sem Jacob ou Lázaro em sua vida. Se Jesus dava o amor, ele compreendia as lágrimas. Então fique de luto, mas não fique de luto como aqueles que não conhecem o fim da história.

Jesus toca a face de Marta, abraça Maria, levanta-se e volta-se para olhar o corpo de Lázaro. A tampa do caixão está fechada. Diz a Marta que a abra. Ela balança a cabeça e pensa em recusar, e então faz uma pausa. Volta-se ao diretor da capela mortuária e diz: "abra."

Do lugar em que você está, você pode ver o rosto de Lázaro. Tem o tom da cera, pálido. Você pensa que Jesus vai chorar de novo. Você nunca esperaria que ele fosse conversar com seu amigo.

Mas ele o faz. A pouca distância do caixão, Jesus grita, "Lázaro, venha para fora!" (v. 43).

Os pregadores sempre se dirigem aos vivos. Mas aos mortos? Uma coisa é certa: é melhor que saia algum barulho desse caixão, senão esse pregador vai parar no manicômio. Você e todos os outros ouvem o barulho. Alguma coisa se move dentro do caixão. "O morto saiu" (v. 44, Almeida Atualizada).

Pessoas mortas não fazem isso — fazem? Pessoas mortas não vêm para fora. Pessoas mortas não se levantam. Corações mortos não batem mais. Sangue morto não corre pelas veias. Pulmões vazios não respiram. Não, as pessoas mortas não vêm para fora. A não ser que ouçam a voz do Senhor da vida.

Os ouvidos dos mortos podem ser moucos para a sua voz ou a minha, mas não para a dele. Cristo é "Senhor de vivos e de mortos" (Romanos 14:9). Quando Cristo fala aos mortos, os mortos escutam. Na verdade, se Jesus não tivesse chamado Lázaro pelo nome, os ocupantes de todos os túmulos do mundo poderiam ter se levantado também.

Lázaro ergue-se no caixão, pisca e olha em torno como se alguém o tivesse flagrado no meio de uma soneca. Uma mulher grita. Outra desmaia. Todos gritam. E você? Você aprendeu alguma coisa. Você aprendeu o que dizer nos funerais.

Aprendeu que há uma ocasião para não dizer nada. Suas palavras não podem dispersar a bruma, mas sua presença pode acalentá-la. E suas palavras não podem trazer Lázaro de volta a suas irmãs. Mas Deus pode. E é só uma questão de tempo até ele falar. "O próprio Senhor descerá do céu. Aqueles que morreram crendo em Cristo ressuscitarão primeiro" (Tessalonicenses 4:16, NTLH).

Até lá, ficamos de luto, sofremos. Mas não como aqueles que não têm esperança.

E escutamos. Escutamos sua voz. Porque sabemos quem tem a última palavra sobre a morte.

8

Botando para fora o inferno

Pessoas atormentadas
Marcos 5:2-20

Quando Jesus desembarcou, um homem com um espírito imundo veio dos sepulcros ao seu encontro. Esse homem vivia nos sepulcros, e ninguém conseguia prendê-lo, nem mesmo com correntes; pois muitas vezes lhe haviam sido acorrentados pés e mãos, mas ele arrebentara as correntes e quebrara os ferros de seus pés. Ninguém era suficientemente forte para dominá-lo. Noite e dia ele andava gritando e cortando-se com pedras entre os sepulcros e nas colinas.

Cabelos grossos, embaraçados. Barba até o peito, amarrada com sangue. Olhos furtivos, disparando em todas as direções, recusando-se a fixarem-se. Nu. Não tem sandálias para proteger os pés das rochas do chão nem vestes para proteger a pele das rochas de sua mão. Feridas abertas e pústulas atraem as moscas.

Sua casa é um mausoléu de arenito, um sepulcro de cavernas da costa da Galileia cortadas nas falésias. Aparentemente, sente-se mais seguro entre os mortos do que entre os vivos.

O que agrada aos vivos. Ele os deixa perplexos. Está vendo as amarras puídas em suas pernas e a corrente partida em seus pulsos? Não conseguem controlar o sujeito. Nada o prende. Como é que se pode administrar o caos? Os viajantes evitam o lugar, amedrontados (Mateus 8:28). Os moradores do vilarejo tinham um problema, e nós temos uma imagem — a imagem da obra de Satanás.

De que outro modo poderíamos explicar esse comportamento bizarro? Os surtos de violência de um pai? As bebedeiras de uma mãe? A rebelião súbita de um adolescente. Cartões de crédito estourados, pornografia na internet. Satanás não para quieto. Basta olhar para o homem selvagem para que se revele o plano de Satanás para você e para mim.

Dor autoinfligida. O endemoniado usava rochas. Somos mais sofisticados: usamos drogas, sexo, trabalho, violência e comida. (O inferno nos faz machucar a nós mesmos.)

Obsessão com a morte e a escuridão. Mesmo desacorrentado, o homem selvagem perambulava por entre os mortos. O mal se sente à vontade lá. Comungando com os falecidos, sacrificando os vivos, uma mórbida fascinação com a morte e com os que morrem — isso não é o trabalho de Deus.

Inquietação sem fim. O homem na costa oriental gritava dia e noite (Marcos 5:5). Satanás incita o frenesi raivoso. O "espírito imundo...", disse Jesus, "passa por lugares áridos procurando descanso" (Mateus 12:43).

Isolamento. O homem está só em seu sofrimento. Esse é o plano de Satanás. "O diabo [...] anda ao redor como leão, rugindo e procurando *a quem* possa devorar" (1 Pedro 5:8, grifo do autor). Se a pessoa está acompanhada, o trabalho de Satanás é dificultado.

E Jesus?

Jesus acaba com o trabalho de Satanás. Cristo sai do barco com as armas na mão, dando ordens. "Saia deste homem, espírito imundo!" (Marcos 5:8).

Nada de bate-papo nem conversa mole. Nada de cumprimentos. Os demônios não merecem qualquer tolerância. Jogam-se aos pés de Cristo pedindo clemência. O líder da corja pede em nome dos outros:

> "Que queres comigo, Jesus, Filho do Deus Altíssimo? Rogo-te por Deus que não me atormentes!" [...] Jesus lhe perguntou: "Qual é o seu nome?" [Ele respondeu,] "Meu nome é Legião", respondeu ele, "porque somos muitos." E implorava a Jesus, com insistência, que não os mandasse sair daquela região (vv. 7; 9,10).

"Legião" é um termo militar romano. Uma legião romana é constituída de seis mil soldados. Imaginar tantos demônios assim habitando esse homem é assustador, mas não é razoável. Os morcegos estão para as cavernas assim como os demônios estão para o inferno — há mais do que podemos contar.

Os demônios não são somente numerosos, como são equipados também. Uma legião é um batalhão armado. Satanás e seus amigos vieram lutar. Desse modo, somos convocados a vestir "toda a armadura de Deus, para que possam[os] resistir no dia mau e permanecer inabaláveis, depois de terem feito tudo" (Efésios 6:13).

Temos mesmo de fazer isso, porque eles estão organizados. Lutamos "contra os poderes e autoridades, contra os dominadores deste mundo de trevas, contra as forças espirituais do mal" (Efésios 6:13). Jesus falou das "portas do inferno" (Mateus 16:18, Almeida Atualizada). Uma frase que sugere o "Conselho de Guerra do Inferno". Nosso inimigo dispõe de um exército complexo e ardiloso. Esqueça aquela pintura de Satanás vestido de vermelho com um tridente e uma cauda pontuda. O demônio é forte e poderoso.

Mas, nessa altura da passagem, na presença de Deus, o demônio é um banana. Satanás está para Deus assim como um mosquito está para a bomba atômica.

> E andava ali pastando no monte uma grande manada de porcos. E todos aqueles demônios lhe rogaram, dizendo: Manda-nos para aqueles porcos, para que entremos neles. E Jesus logo lho permitiu. E, saindo aqueles espíritos imundos, entraram nos porcos; e a manada se precipitou por um despenhadeiro no mar (eram quase dois mil), e afogaram-se no mar (Marcos 5:11-13, Almeida Atualizada).

Como a corte do inferno acovarda-se na presença Cristo! Satanás verga-se perante ele, solicita-o e obedece-lhe. Não conseguem nem assomar um porco sem pedir-lhe permissão. Então, como podemos explicar a influência de Satanás?

Natalie[1] deve ter-se feito a mesma pergunta mil vezes. Na lista de personagens para uma história de gerasenos nos dias de hoje, seu nome está próximo ao topo. Ela cresceu em um mundo atormentado.

A comunidade de nada desconfiava. Seus pais mantinham uma expressão amigável no rosto. A cada domingo, eles desfilavam Natalie e suas irmãs até a igreja. Seu pai trabalhava como um dos anciãos. Sua mãe tocava o órgão. A congregação os respeitava. Natalie os desprezava. Até hoje ela se recusa a tratá-los por "mamãe" e "papai". Um "feiticeiro" e uma "bruxa" não merecem tal distinção.

Quando Natalie tinha seis meses de vida, eles a sacrificaram sexualmente no altar do inferno, marcando-a para ser explorada como objeto sexual por homens em qualquer lugar, a qualquer hora. Os membros da seita bipolarizaram seu mundo, vestindo-a de branco aos domingos para a missa e, horas mais tarde, deixando-a nua na alcova. Se ela não gritasse ou vomitasse durante o ataque, ela era recompensada com um sorvete. Somente "rastejando bem para dentro de si" ela poderia sobreviver.

Natalie milagrosamente conseguiu escapar da seita, mas não de suas memórias. Até bem adulta, ela vestia seis calcinhas sobrepostas, como uma barreira de proteção. Vestidos criavam vulnerabilidade; ela os evitava. Ela odiava o fato de ser mulher; ela odiava a visão de homens; ela odiava estar viva. Somente Deus poderia conhecer a legião de terrores que a perseguia. E Deus sabia.

Escondida no pântano de sua alma estava uma ilha intocada. Pequena, mas segura. Construída, ela acredita, por seu pai celestial durante as horas em que a menininha sentava-se no banco da igreja. Palavras de amor, hinos por sua misericórdia — deixaram suas marcas. Ela aprendeu a refugiar-se nessa ilha e orar. Deus escutou suas orações. Os conselheiros tutelares vieram. A esperança começou a sobrepujar o horror. Sua fé cada vez mais vencia seus medos. O processo foi demorado e tedioso, mas vitorioso, culminando com ela casando-se com um homem de bem.[2]

Sua libertação não envolveu falésias ou porcos, mas, não se engane, ela foi libertada. E que nos lembremos sempre disso. Satanás pode nos perturbar, mas não pode nos derrotar. A cabeça da serpente foi esmagada.

Eu tive uma visão literal disso em uma vala na pradaria. Uma companhia de petróleo estava recrutando braços fortes e mentes fracas para construir uma tubulação. Já que eu me qualificava, a maior parte daquelas férias de verão foi gasta cavando dentro de uma vala na altura do ombro, quilômetros atravessando o Oeste do estado do Texas. Uma escavadeira mecânica cortava o solo à nossa frente. Nós seguíamos catando o excesso de terra e pedras.

Em uma tarde, a escavadeira cortou mais do que terra. "Cobra!", gritou o capataz. Saltamos para fora daquele buraco mais rápido que um coelho correndo e olhamos para o ninho da cobra. A mamãe cobra sibilava, suas filhinhas se contorciam. Voltar para dentro da vala não era uma opção. Um dos trabalhadores pegou pá e decapitou a cascavel. Ficamos lá de cima olhando enquanto a cobra — agora sem cabeça — se contorcia e se estrebuchava na terra macia. Mesmo sem suas presas, a cobra ainda nos assustava.

Puxa, Max. Obrigado por essa imagem inspiradora...

Inspiradora? Talvez não. Cheia de esperança? Acho que sim. Aquela cena de verão no Oeste do Texas é uma parábola de onde estamos em nossa vida. O demônio não é uma cobra? João refere-se à "antiga serpente, que é o diabo, Satanás" (Apocalipse 20:2).

Ele não foi decapitado? Não com uma pá, mas com uma cruz. "E foi na cruz que Cristo se livrou do poder dos governos e das autoridades espirituais. Ele humilhou esses poderes publicamente, levando-os prisioneiros no seu desfile de vitória" (Colossenses 2:15, NTLH).

Então, como isso nos deixa? *Confiantes*. O desfecho da passagem anterior é a demonstração do poder de Jesus sobre Satanás. Uma palavra de Cristo, e os demônios foram se refugiar nos suínos, e o homem selvagem ficou "assentado, vestido e em perfeito juízo" (Marcos 5:15). Bastou uma ordem! Não precisou de uma sessão espírita. Nada de abracadabra. Nada de ladainhas ou de velas. O inferno é como um formigueiro ante o rolo compressor do Céu. Jesus "até aos espíritos imundos ele dá ordens, e eles lhe obedecem!" (Marcos 1:27). A cobra naquela vala e Lúcifer em seu buraco — ambos conheceram quem os derrotou.

E, ainda assim, ambos continuam assustando depois da derrota. Por conta disso, ainda que estejamos *confiantes*, temos de nos manter *cautelosos*. Para um verme banguela, até que Satanás tem uma mordida feroz! Ele nos assusta no trabalho, interrompe nossas atividades e nos deixa pensando duas vezes a cada passo que damos. O que é que precisamos fazer? "Sejam sóbrios e vigiem. O diabo, o inimigo de vocês, anda ao redor como leão, rugindo e procurando a quem possa devorar" (1 Pedro 5:8). É preciso estar alerta. Não é preciso estar em pânico. A serpente ainda se retorce e intimida, mas já não tem veneno. Ele foi derrotado, e sabe disso! Ele "sabe que lhe resta pouco tempo" (Apocalipse 12:12).

"Aquele que está em vocês é maior do que aquele que está no mundo" (1 João 4:4). Acredite. Confie no trabalho do seu Salvador. "Resistam ao diabo, e ele fugirá de vocês" (Tiago 4:7). Enquanto isso, o máximo que ele pode fazer é se estrebuchar.

9
Não é o que você faz

Pessoas espiritualmente desgastadas
João 3:1-6

Minha cadela Molly e eu não estamos nos dando bem. O problema não está na personalidade dela, que é um bichinho muito doce. Ela encara qualquer pessoa como amiga e qualquer dia como se fosse feriado. Não me incomodo com a atitude de Molly. O que me incomodam são seus hábitos.

Come sobras na lata de lixo. Lambe os pratos sujos na máquina de lavar louças. Deposita passarinhos mortos na nossa calçada e rouba os ossos do cachorro do vizinho. Que vergonha! Molly rola na grama, mastiga a pata, faz suas necessidades em lugares impróprios, satisfaz sua sede na privada, e estou constrangido em admitir isso.[4]

Que tipo de comportamento é esse?

Comportamento canino, você responderia.

E você tem razão. Muita razão. O problema com Molly não é um problema de Molly. Molly tem um problema canino. É da natureza dos cachorros fazer tais coisas. É sua natureza que eu quero modificar. Não é somente a sua natureza, perceba bem. Uma escola de adestramento canino poderia modificar o que ela faz. Eu quero ir mais fundo. Quero modificar quem ela é.

Eis uma ideia: uma transfusão entre mim e ela. Depositar uma semente de Max em Molly. Quero dar a ela uma pitada de personalidade humana. Quem sabe isso não cresceria dentro de Molly, modificando-a? Sua natureza humana se desenvolveria, e sua natureza canina recrudesceria. Testemunharíamos assim não somente uma mudança de hábitos, mas também uma mudança de essência. Com o tempo, Molly seria menos Molly e mais eu, compartilhando meu nojo por refeições que vêm de latas de lixo, por água de privada e por lambidas em pratos sujos. Ela teria uma nova natureza. Puxa, Denalyn até permitiria que ela comesse à mesa.

Você acha que esse é um plano louco? Então vá reclamar com Deus. O plano é dele.

O que eu gostaria de fazer com Molly é o que Deus faz conosco. Ele muda nossa natureza de dentro para fora! "Darei a vocês um coração novo e porei um espírito novo em vocês; tirarei de vocês o coração de pedra e lhes darei um coração de carne. Porei o meu Espírito em vocês e os levarei a agir segundo os meus decretos e a obedecer fielmente às minhas leis" (Ezequiel 36:26,27).

Deus não nos envia para escolas de adestramento a fim de aprendermos novos hábitos, ele nos envia ao hospital para recebermos um novo coração. Esqueça o treinamento, ele nos dá transplantes.

Parece bizarro? Imagine o que Nicodemos achou quando ouviu isto.

> Havia um fariseu chamado Nicodemos, uma autoridade entre os judeus. Ele veio a Jesus, à noite, e disse: "Mestre, sabemos que ensinas da parte de Deus, pois ninguém pode realizar os sinais miraculosos que estás fazendo, se Deus não estiver com ele" (João 3:1,2).

Nicodemos é impressionante. Não somente é um dos seis mil fariseus, é um dirigente, um dos setenta homens que compõem o Alto Conselho. Pense nele como um religioso de sangue azul. O que hoje são os juízes para a Suprema Corte, ele era para a lei de Moisés. Um *expert*. Suas credenciais seguem seu nome como a cauda do manto imperial. Nicodemos, PhD., ThD., M.S., M.Div. As universidades o queriam em seu conselho diretor. As conferências o queriam proferindo palestras. Quando se trata de religião, ele é a autoridade e a referência. Quando se trata de vida, ele está esgotado.

Como um bom judeu, ele está tentando obedecer ao Talmude. Não é pouca coisa. Ele tem vinte e quatro capítulos de leis somente tratando do Sabá. Eis uma pequena amostra:

- Não coma nada que seja maior que uma azeitona. E se você morder uma azeitona e descobrir que ela está podre, o que você cuspir contará como parte da sua porção permitida.
- Você pode carregar tinta suficiente para escrever duas letras, mas os banhos não são permitidos, para evitar que se respingue no chão, lavando-o.
- Os alfaiates não podem portar agulhas.
- As crianças não podem jogar bola. Ninguém pode carregar nada mais pesado que um figo, mas qualquer coisa pesando a metade do peso de um figo pode ser transportado duas vezes.[1]

Nossa!

Poderia um cientista estudar as estrelas e nunca chorar por seu esplendor? Dissecar uma rosa e nunca perceber seu perfume? Poderia um teólogo estudar a Lei até decodificar o tamanho do pé de Moisés, mas ainda assim não ter a paz de espírito necessária para ter uma boa noite de sono?

Talvez seja essa a razão de Nicodemos vir à noite. Está cansado, mas não consegue dormir. Cansado de tantas regras e regulamentos. Nicodemos está procurando uma mudança. E agora tem um palpite de que Jesus poderia fornecer a tal mudança.

Ainda que Nicodemos não faça perguntas, Jesus oferece uma resposta. "Digo-lhe a verdade: Ninguém pode ver o Reino de Deus, se não nascer de novo" (v. 3).

Esse é um modo radical de se falar. Para ver o Reino de Deus você precisa de um renascimento sem precedentes de Deus. Nicodemos gagueja ante pensamento tão avassalador. "Como é que um homem velho pode nascer de novo? *Será que* ele pode voltar para a barriga da sua mãe e nascer outra vez?" (vv. 4, NTLH).

Você não ama essas duas palavrinhas? *Será quê?* Nicodemos sabe que um homem crescido não pode reentrar no canal do parto. Não há botão de "retroceder" no aparelho de DVD da vida... ou será que há? Nós não recomeçamos do zero... ou será que recomeçamos? O que levou Nicodemos a acrescentar essas duas palavrinhas? O velho Nico sabia muito bem, ele não tinha nascido ontem.

Mas talvez ele quisesse ter nascido ontem. Talvez ele quisesse ter nascido hoje. Talvez essas duas palavrinhas — "será quê?" — tenham emergido daquela parte de Nicodemos que anseia pela força. Pelo vigor juvenil. Novo fôlego. Novas pernas.

Nicodemos parece estar dizendo: "Jesus, eu tenho a energia espiritual de uma velha mula. Como é que você espera que eu renasça quando eu nem consigo me lembrar se posso comer figos no Sabá? Sou um homem velho. Como pode um homem renascer se ele já é velho?" De acordo com Cristo, o renascido deve vir de um novo lugar. "Eu afirmo ao senhor que isto é verdade: ninguém pode entrar no Reino de Deus se não nascer da água e do Espírito. Quem nasce de pais humanos é um ser de natureza humana; quem nasce do Espírito é um ser de natureza espiritual" (vv. 5,6, NTLH).

Jesus não poderia ser mais direto. "*Ninguém* pode entrar no Reino de Deus se não nascer da água e do Espírito." Você quer ir para o Céu? Não importa o quanto você é religioso ou a quantas regras você obedece. Você precisa ser renascido, você tem de ser nascido "da água e do Espírito".

Deus não dá banhos de esponja. Ele nos lava, da cabeça aos pés. Paulo refletiu sobre sua conversão e escreveu: "Ele nos deu um bom banho, e saímos dele novas pessoas, lavados por dentro e por fora pelo Espírito Santo" (Tito 3:5, paráfrase). Nossos pecados não têm chance nenhuma contra o jato d'água da graça de Deus.

Porém, precisamos de mais. Deus não está satisfeito somente em lavá-lo. Ele quer tomá-lo. Deus deposita-se em você. "Sua força, que atua poderosamente" (Colossenses 1:29).

Ele não faz o que meu pai fazia comigo e com meu irmão. Antes de irmos para a faculdade, nosso carro era uma perua Ramble ano 1965. O calhambeque tinha tanto glamour quanto Forrest Gump: três marchas, embreagem manual, bancos forrados de plástico, sem ar-condicionado.

Ah, e tinha o motor: o do cortador de grama tinha mais força. A maior velocidade que conseguíamos ladeira abaixo e com o vento a favor, era de uns 70 km/h. Até hoje estou convencido de que meu pai (que era treinado em mecânica) tinha procurado o carro mais lento que existisse e comprado para nós.

Quando reclamávamos do estado lamentável do veículo, ele apenas sorria e dizia: "consertem!" Fazíamos o que podíamos. Limpávamos os carpetes, aspergíamos os bancos com desodorizadores, grudávamos um símbolo da paz no para-brisa traseiro e pendurávamos dadinhos de isopor no retrovisor. Tirávamos as calotas e pintávamos as beiradas de preto. O carro ficou com uma aparência melhor, cheirava melhor, mas corria do mesmo jeito. Ainda era um calhambeque — um calhambeque arrumadinho, tudo bem — mas ainda assim um calhambeque.

Não pense nem por um microssegundo que Deus faz o mesmo com você. Lavar o exterior não é o suficiente para ele. Ele coloca a força no interior. Melhor dizendo, ele coloca *a si mesmo* no interior. Essa é a parte que assombrou Nicodemos. Trabalhar para Deus não era novidade. Mas trabalhar *em* Deus? *Preciso refletir um pouco sobre isso.*

Talvez você precise também. Você é um Nicodemos? Tão religioso quanto a Praça de São Pedro, mas se sentindo tão velho quanto? Piedoso, mas sem forças? Se for esse o caso, deixe-me recordar uma coisinha.

Quando você crê em Cristo, ele opera milagres em você. Em Cristo, "quando vocês ouviram e creram na palavra da verdade, o evangelho que os salvou, vocês foram selados com o Espírito Santo da promessa" (Efésios 1:13, NTLH). Você é permanentemente purificado e fortalecido pelo próprio Deus. A mensagem de Jesus a quem é religioso é simples: não é o que você faz. É o que *eu* faço. Eu me mudei para dentro de você. E, com o tempo, você poderá dizer como fez Paulo, "já não sou eu quem vive, mas Cristo é quem vive em mim" (Gálatas 2:20, NTLH). Você já não é um calhambeque, nem mesmo um calhambeque arrumadinho. Você é uma máquina de correr do nível do Grande Prêmio de Fórmula 1.

Se isso é verdade, Max, por que é que eu ainda pifo? Se eu sou renascido, por que é que eu caio tanto?

Por que é que você pifou tantas vezes depois de seu primeiro nascimento? Você por acaso saiu do útero vestindo uniforme de corrida? Você já sabia dançar bolero no dia do seu parto? É claro que não. E, quando você começou a andar, você *sentia* muito mais do que *compreendia*. Devemos esperar algo diferente em nossa caminhada espiritual?

Mas eu caio tanto, eu ponho em dúvida minha salvação. Mais uma vez, quando você tropeçava, você questionava a validade de seu nascimento físico? Será que, quando tinha um ano e caía com a cara no chão, você sacudia a cabeça e pensava, *caí de novo? Não devo ser humano.*

É claro que não. Os tropeços de um bebê não invalidam o ato de nascer. E os tropeços de um cristão não anulam seu nascimento espiritual.

Você compreende o que Deus fez? Ele depositou uma semente de Cristo em você. À medida que ela for crescendo, você irá se modificar. Não é como se o pecado não tivesse mais presença em sua vida, mas sim que o pecado já não tem mais poder sobre sua vida. A tentação vai azucriná-lo, mas a tentação não vai controlá-lo. Isso traz tanta esperança!

Os Nicodemos do mundo devem prestar atenção. Não é o que você faz! Dentro de vocês reside um poder florescente. Confiem nele!

Pense assim. Suponha que você, na maior parte da sua vida, tenha enfrentado um problema cardíaco. Seu órgão não é um bombeador muito potente, e limita as suas atividades. A cada manhã, no escritório, quando seus colegas saudáveis sobem de escadas, você tem de esperar o elevador.

Mas então vem o transplante. Um coração saudável foi inserido em você. Após a fase de recuperação, você volta ao escritório e encontra o lance de escadas — o mesmo lance de escadas que você evitava anteriormente. Por força do hábito, você aperta o botão do elevador. E então se dá conta. Você não é mais a mesma pessoa. Você tem um novo coração. Em você habita uma nova força.

Você vive como a pessoa antiga ou como a nova? Você se considera tendo um coração novo ou antigo? Você tem de fazer a escolha.

Você poderia dizer: "não posso subir as escadas, estou fraco demais." Sua escolha está ignorando a presença de um novo coração? Desprezando o trabalho do cirurgião? Não. Escolher o elevador poderia sugerir apenas uma coisa — que você ainda não aprendeu a confiar na sua nova força.

Leva tempo. Mas, em algum momento, você vai ter de experimentar as escadas. Você tem de testar seu novo coração. Você vai ter de experimentar seu novo eu. Porque, se não o fizer, ficará sem forças.

As regras religiosas podem empapar sua força. É sem fim. Sempre vai ter outra aula em que você tem de comparecer, outro Sabá a que terá de obedecer, ou o Ramadã que terá de observar. Nenhuma prisão é tão interminável quanto a prisão da perfeição. Quem nela está preso encontra o que fazer, mas não encontra a paz. E como poderiam? Nunca sabem quando terão concluído.

Cristo, no entanto, dá a você um trabalho concluído. Ele cumpriu a lei para você. Dê adeus ao fardo da religião. Ficou para trás o medo de que, tendo feito tudo, você não teria feito o suficiente. Você sobe as escadas, usando não a sua força, mas a dele. Deus comprometeu-se a ajudar aqueles que param de tentar ajudar a si mesmos.

"Aquele que começou boa obra em vocês, vai completá-la até o dia de Cristo Jesus" (Filipenses 1:6). Deus fará com você o que eu só posso sonhar em fazer com Molly. Mudá-lo de dentro para fora. Quando ele tiver concluído, ele até vai permitir que você se sente à mesa.

10
O lixeiro

Pessoas imperfeitas
João 1:29

A mulher desaba no banco e deixa cair seu saco de lixo entre os pés. Com os cotovelos nos joelhos e a face nas mãos, ela olha desolada para a calçada. Tudo lhe dói. As costas. As pernas. O pescoço. Seu ombro está rígido e suas mãos em carne viva. Tudo por conta do saco.

Ah, poder se livrar deste lixo...

Nuvens contínuas formam um céu cinzento, cinza de milhares de lamentações. Edifícios cobertos de fuligem lançam longas sombras, escurecendo as vias e as pessoas que estão nelas. A garoa gela o ar e empapa os meandros das sarjetas das ruas. A mulher recolhe seu casaco. Um carro que passa encharca o saco e respinga sobre seus jeans. Ela nem se move. Cansada demais.

Suas memórias da vida sem o saco são nebulosas. Quando era criança, talvez? Suas costas eram eretas, ela caminhava com mais agilidade... ou será que tudo não passava de sonho? Ela não tinha como saber com certeza.

Outro carro. Este para e estaciona. Um homem sai do carro. Ela observa seus sapatos afundando na lama. Do carro ele retira um saco de lixo, entulhado de dejetos. Ele o sacode para cima dos ombros e amaldiçoa o peso.

Nenhum dos dois fala nada. Quem sabe o que aconteceria se ele a notasse. Seu rosto parece mais jovem, mais jovem que suas costas arqueadas. Em pouco tempo, ele some. O olhar dela se volta para a calçada.

Ela nunca olha para dentro do seu lixo. Mais cedo, ela olhou. Mas o que viu causou-lhe repulsa, assim, ela mantém o saco fechado desde então.

O que mais ela poderia fazer? Dá-lo para alguém? Todo mundo já tem o próprio saco.

Lá vem uma jovem mãe. Com uma das mãos ela conduz uma criança, com a outra ela arrasta seu fardo, entulhado e pesado.

Lá vem um velho, o rosto marcado de rugas. Seu saco de lixo é tão comprido que bate na parte de trás de suas pernas quando ele anda. Ele olha para a mulher e tenta dar um sorriso.

Que peso ele estaria carregando? Ela se pergunta quando ele passa.

"Arrependimentos."

Ela se volta para ver quem falou. Ao seu lado, no banco, está um homem sentado. Alto, com a maçã do rosto angular e olhos claros e gentis. Assim como ela, ele tem os jeans manchados de lama. Ao contrário dela, ele tem os ombros altivos. Veste uma camiseta e um boné de beisebol. Ela olha em volta, procurando pelo lixo dele, mas não encontra.

Ela observa o velho desaparecer enquanto ele explica, "quando ele era um jovem pai, trabalhava horas demais e negligenciou a família. Seus filhos não o amam. Seu saco está cheio, abarrotado de arrependimentos."

Ela nada responde. E, quando ela se mantém muda, ele fala. "E o seu?"

"O meu?", ela pergunta, encarando-o.

"Vergonha." Sua voz é gentil, com compaixão.

Ela ainda nada fala, tampouco dá as costas.

"Muitas horas nos braços errados. No ano passado. Na noite passada... vergonha."

Ela se enrijece, fazendo um escudo para o desprezo que ela aprendeu a esperar. Como se ela precisasse de mais vergonha. É preciso pará-lo. Mas como? Ela aguarda seu julgamento.

Mas ele nunca vem. Sua voz é cálida e sua pergunta é honesta. "Você me daria seu lixo?"

Sua cabeça cai para trás. *Qual é a intenção dele?*

"Dê-me seu lixo. Amanhã. No depósito de lixo. Você vai trazê-lo?" Ele enxuga uma lágrima furtiva da face dela com o dedão e se levanta. "Na sexta-feira. No depósito de lixo."

Ele parte, e por um bom tempo ela fica sentada, repetindo mentalmente a cena, retocando sua face. A voz dele ecoa na mente dela, seu convite paira sobre ela. Ela tenta esquecer suas palavras, mas não consegue. Como ele poderia saber de tudo aquilo? E como ele poderia saber de tudo e ainda ser gentil? A memória senta-se no sofá de sua alma, um hóspede não convidado, mas bem-vindo.

A noite de sono traz-lhe sonhos de verão. Uma menininha sob um céu azul de nuvens fofas, brincando em meio às flores do campo, sua saia flutuando. Sonha em correr com as mãos espalmadas, alisando o topo dos girassóis. Sonha com gente feliz preenchendo uma campina com risadas e esperança.

Mas, quando acorda, o céu está escuro, as nuvens formam grandes rolos, e as ruas estão na sombra. Ao pé de sua cama jaz um saco de lixo. Ela o pendura sobre os ombros, deixa o apartamento e desce as escadas em direção à rua, que continua enlameada.

É sexta-feira.

Por um tempo ela fica parada, pensando. Primeiro se pergunta o que ele teria querido dizer, e depois se pergunta se ele realmente teria querido dizer aquilo. Com uma esperança que quase não supera o desalento, ela encaminha-se para a beirada da cidade. Há outros caminhando na mesma direção. O homem ao seu lado fede a álcool. Ele dormiu muitas noites dentro de seu paletó. Uma adolescente caminha poucos passos à frente. A mulher da vergonha se apressa para acompanhar o grupo. A adolescente voluntariamente responde antes mesmo que a pergunta fosse feita. "Raiva. Raiva de meu pai. Raiva de minha mãe. Estou cansada de ter raiva. Ele disse que tiraria a raiva de mim." Ela aponta para o saco. "Vou dar isso para ele."

A mulher acena, e as duas caminham juntas.

O depósito está atulhado de lixo — papéis e vassouras quebradas e camas velhas e carros enferrujados. Quando finalmente chegam à colina, a fila para o topo é comprida. Há centenas caminhado à sua frente. Todos aguardam em silêncio, paralisados pelo que ouvem — um grito, um rugido doloroso que paira no ar por algum tempo, interrompido por um gemido. Então os gritos voltam.

São dele.

Ao se aproximarem, descobrem a razão. Ele ajoelha-se perante cada um, gesticulando em direção ao saco, oferecendo um pedido, e então uma oração. "Posso ficar com isso? E que você nunca mais sinta isso." Então ele inclina a cabeça e ergue o saco, esvaziando o conteúdo sobre si mesmo. A avareza dos glutões, a amargura dos coléricos, a possessividade dos inseguros. Ele sente o que eles sentem. É como se ele tivesse mentido ou trapaceado ou amaldiçoado seu Criador.

Quando é sua vez, a mulher faz uma pausa. Hesita. Os olhos dele a compelem para seguir em frente. Ele agarra o saco e o retira dela. "Você não pode viver com isso", explica. "Você não foi feita para viver com isso." Com a cabeça baixa, ele esvazia a vergonha por sobre os próprios ombros. Então, olhando para os Céus com olhos rasos d'água, ele grita: "sinto muito!"

"Mas você não fez nada!", ela grita.

Ainda assim ele soluça do jeito que ela soluçou no travesseiro por mil noites. É então que ela se dá conta de que o choro dele é o dela. Sua vergonha é a vergonha dele.

Com seu polegar, ela toca a face dele, e, no primeiro passo de uma longa noite, ela não tem lixo para carregar.

Com os outros, ela permanece na base da colina e observa enquanto ele é soterrado por um monturo de misérias. Por algum tempo, ainda se ouvem seus gemidos. Depois, nada. Só o silêncio.

As pessoas sentam-se por entre os carros sucateados e papéis amassados e móveis descartados, e se perguntam quem é aquele homem e o que é que ele fez. Assim como os enlutados em um velório, eles permanecem lá. Alguns compartilham histórias. Outros nada dizem. Todos lançam olhares ocasionais para o depósito de lixo. Parece estranho, ficarem zanzando próximo ao monturo. Mas parece mais estranha ainda a ideia de partir.

Então permanecem. Pela noite e no dia seguinte também. A escuridão torna a cobri-los. Uma camaradagem os conecta, uma irmandade entre os lixeiros. Alguns caem no sono. Outros fazem foro nos barris de metal e falam sobre a súbita abundância de estrelas no céu. Pela manhã, a maior parte está dormindo.

Eles, por pouco, não perdem o momento. É a menina quem vê. A menina com raiva. Ela não crê em seus olhos no começo, mas quando torna a olhar, ela sabe.

Suas palavras são suaves; não são dirigidas a ninguém. "Ele se ergue."

Então, fala em voz alta, para seus amigos. "Ele se ergue."

E, mais alto, para todo mundo. "Ele se ergue!"

Ela se volta, todos se voltam. Veem a silhueta dele contra o sol dourado.

Erguendo-se. De fato.

Segunda parte

NÃO HÁ LUGAR AONDE ELE NÃO VÁ

∽

Charlie tinha dez anos. A escola tinha parado para o Natal, e a família tinha decidido passar o feriado no interior. O menino apertava seu nariz contra a janela da casa de férias e maravilhava-se com o inverno inglês. Estava contente por ter trocado as ruas enegrecidas de Londres pelo frescor branco-algodão das colinas cobertas de neve.

Sua mãe o convidou para um passeio curto de carro, e ele aceitou rapidamente. Um momento idílico se formava. Ela serpenteava o carro pela estrada cheia de curvas. Os pneus amassavam a neve, e o menino soprava nas janelas para formar telas de vapor condensado. Estava encantado. Sua mãe, no entanto, estava ansiosa.

A neve começou a cair pesadamente. A visibilidade caía. Quando ela entrou em uma curva, o carro começou a derrapar e não parou até estar em uma vala. Ela tentou dirigir para fora. Os pneus giravam em falso. O pequeno Charlie tentou empurrar, enquanto sua mãe acelerava. Mas não tiveram sorte. Estavam presos. Precisavam de ajuda.

A uns dois quilômetros havia uma casa. Foram para lá e bateram à porta. "É claro", a senhora lhes disse. "Entrem, aqueçam-se. Podem usar o telefone." Ela lhes ofereceu chá e biscoitos e insistiu para que esperassem até que o socorro chegasse.

Um evento comum? Não digam isso para a mulher que abriu a porta. Ela nunca se esqueceu desse dia. E já contou a história milhares de vezes. E quem poderia culpá-la? Não é sempre que a realeza bate à sua porta.

Pois os dois viajantes em apuros no inverno inglês eram ninguém menos que a rainha Elizabeth e o herdeiro do trono, com dez anos de idade, Charles.[1]

O que se diz na rua, nos Céus e nos lábios dos cristãos é que alguma coisa muito mais grandiosa aconteceu em nosso mundo. A realeza tem batido à nossa porta. O príncipe dos Céus tem batido à nossa porta.

Sua visita, no entanto, não tem nada de acidental. E ele fez bem mais do que ficar para o chá. Carpintarias. Desertos. Sob as águas do Jordão. Nas águas da Galileia. Ele sempre aparecia nos lugares mais estranhos. Lugares onde você nunca esperaria encontrar Deus.

Mas, daí então, quem teria esperado vê-lo?

11

Ele ama estar com quem ele ama

Todos os lugares
Filipenses 2:6,7

A época dos feriados de fim de ano é época de estradas. Desde que José e Maria fizeram suas malas a caminho de Belém, o nascimento de Jesus tem feito as pessoas botarem o pé na estrada. Notavelmente, as viagens de Natal que fazemos tem muito em comum com a viagem dos pais de Jesus. Não vemos pastores no meio da noite, mas é comum esbarrarmos com uma sogra ou um cunhado a caminho do banheiro. Não dormimos em estábulos, mas uma sala de estar repleta com a parentada em sacos de dormir pode até ter o mesmo cheiro de um. E não viajamos mais no lombo de jumentos, mas seis horas em uma perua com quatro crianças pode fazer uma mãe desejar que ainda fosse assim.

"Esta é a estação para se viajar." Nada revela mais o verdadeiro caráter dos membros de uma família como uma longa viagem na estrada.

Nossos pais, por exemplo, descobrem suas reais identidades nas rodovias interestaduais. No espírito dos bandeirantes ou dos descobridores, não queremos ficar parados. Borba Gato e Cabral ficavam pedindo informações? Os imigrantes por acaso passavam as noites em motéis de beira de estrada? José teria deixado que Maria visitasse uma lojinha de posto de gasolina em Belém procurando um novo enfeite para a árvore de Natal?

De modo algum. Nós, homens, temos uma licença bíblica para viajar, para longe e depressa, parando somente para abastecer.

As mulheres, no entanto, sabem qual é a verdadeira razão para os maridos gostarem de dirigir: a guerra civil no banco de trás.

Você sabia que os sociólogos já provaram que os bancos de trás têm um efeito lobisomem sobre as crianças? Dão-lhes presas afiadas, garras poderosas. A civilidade desaparece no mesmo buraco negro em que caem as batatas fritas. Irmãos que viajam juntos são simplesmente incapazes de ter uma conversa humana convencional. Se uma criança diz "gosto dessa música", você pode esperar que outra diga "é uma música legal". Mas ela não diz. Ela diz "essa música fede mais que o seu chulé".

O melhor conselho para se viajar com crianças é agradecer por elas não serem adolescentes. Os adolescentes sentem-se envergonhados permanentemente por seus pais. Ficam constrangidos por tudo o que dizemos, pensamos, vestimos, comemos e cantamos. Desse modo, vocês que são pais — se procuram um trajeto pacífico (e se desejam um dia ver seus bisnetos que ainda não nasceram) — não sorriam em um restaurante, não respirem, não cantem com a janela abaixada, nem levantada.

Viagem de feriado não é fácil. Então, por que é que fazemos? Por que atulhar os porta-malas e suportar os aeroportos? Você sabe a resposta. Amamos estar com aqueles a quem amamos.

O menininho de quatro anos correndo pela calçada para os braços do vovô.

A xícara de café com mamãe antes que o resto da casa desperte.

O momento em que, por um momento, todos estão quietos enquanto nos damos as mãos em volta da mesa e agradecemos a Deus pela família, pelos amigos e pelo peru assado.

Amamos estar com aqueles a quem amamos.

Preciso lembrá-lo? Deus também. Ele ama estar com aqueles que ele ama. De que outro modo poderíamos explicar o que ele fez? Entre ele e nós havia uma grande distância — um grande hiato. E ele não conseguia suportar isso. Não aguentava mais. Assim, fez alguma coisa a respeito.

Antes de vir à Terra, Jesus "tinha a natureza de Deus, mas [...] ele abriu mão de tudo o que era seu e tomou a natureza de servo, tornando-se assim igual aos seres humanos" (Filipenses 2:6,7, NTLH).

Por quê? Por que Jesus viajou para tão longe?

Estava me fazendo essa pergunta quando notei os esquilos do lado de fora da minha janela. Uma família de esquilos de cauda-negra fez seu lar na árvore que fica ao norte do meu escritório. Somos vizinhos há três anos. Eles me observam batucar o teclado. Eu os observo acumular as nozes e subir o tronco. Entretemo-nos mutuamente. Poderia passar dias observando-os. E, de vez em quando, passo mesmo.

Mas nunca pensei em tornar-me um deles. O mundo dos esquilos não me atrai. Quem é que gostaria de dormir ao lado de um roedor cabeludo de olhinhos de botão (sem comentários das esposas que acham que já o fazem). Desistir das serras, da pescaria, dos casamentos e das risadas em troca de um buraco no chão e uma dieta de nozes enlameadas? Não conte comigo.

Mas conte com Jesus. Pense no mundo que ele deixou para trás. Nossas mansões mais elegantes pareceriam um tronco de árvore para ele. A melhor culinária do planeta pareceria nozes na mesa dos Céus. E a ideia de tornar-se um esquilo com garras e dentinhos e um rabo peludo? Não é nada comparada a Deus tornar-se um embrião unicelular e entrar no útero de Maria.

Mas foi o que ele fez. O Deus do universo chutou as paredes de um útero, nasceu na pobreza de uma camponesa e passou sua primeira noite no lugar onde a vaca se alimenta. "Aquele que é a Palavra tornou-se carne e viveu entre nós" (João 1:14). O Deus do universo deixou para trás a glória dos Céus e mudou-se para a vizinhança. A nossa vizinhança! Quem poderia ter imaginado que ele faria tal coisa?

Por quê? Ele ama estar entre aqueles a que ele ama.

O Dr. Maxwell Maltz conta uma história de amor parecida com esta. Um homem havia se ferido pelo fogo quando tentava salvar seus pais em uma casa incendiada. Ele não conseguira salvá-los. Eles faleceram. Seu rosto foi queimado e ficou desfigurado. Ele erroneamente interpretou sua dor como um castigo de Deus. O homem não deixava que ninguém o visse — nem mesmo sua esposa.

Ela foi até o Dr. Maxwell, um cirurgião plástico, em busca de auxílio. Ele disse para a mulher não se preocupar. "Eu posso reconstruir seu rosto."

Ela não ficou entusiasmada. Seu marido tinha repetidamente recusado qualquer ajuda. Ela sabia que ele voltaria a se recusar.

Então para que a consulta? "Eu quero que o senhor me desfigure, para que eu possa ser como ele! Se eu compartilhar com ele a dor, talvez ele me deixe entrar de novo em sua vida."

O Dr. Maxwell ficou em choque. Ele se recusou a fazer o que ela queria, mas ficou tão emocionado pelo amor da mulher, que foi conversar com o marido. Batendo à porta do quarto do homem, ele berrou "sou um cirurgião plástico, e quero que você saiba que eu posso reconstruir seu rosto".

Nenhuma resposta.

"Por favor, saia do quarto."

De novo, não houve resposta.

Ainda falando-lhe por detrás da porta, Dr. Maxwell contou ao homem o que a mulher lhe pedira. "Ela quer que eu desfigure seu rosto, que eu deixe o rosto dela parecido com o seu, na esperança de que você a permita voltar a sua vida. Tanto é o amor que ela lhe tem."

Houve um breve momento de silêncio, e então, bem devagar, a porta foi se abrindo.[1]

O que a mulher sentia pelo marido é como o que Deus sente por nós. Mas ele fez mais do que fazer uma oferta. Ele assumiu nosso rosto, nossa desfiguração. Tornou-se como nós. Basta olhar para os lugares a que ele estava disposto a ir: manjedouras, carpintarias, desertos e cemitérios. Os lugares aonde ele foi para nos alcançar revela o quão longe ele iria para nos tocar.

Ele ama estar com aqueles que ele ama.

12

Como é que é?

Lugares internos
Lucas 1:38

Há coisas que só uma mãe consegue.

Só uma mãe consegue passar talco no bumbum do bebê com uma das mãos enquanto fala ao telefone com a outra. Só uma mãe pode discernir qual adolescente está entrando pela porta somente pelo ruído da chave na fechadura. Só uma mãe pode passar o dia assoando narizes, lavando meias que dariam para um time de futebol, fazendo as contas baterem e ainda assim ser sincera quando agradece a Deus pelas crianças. Só uma mãe.

Há coisas que só uma mãe consegue consertar. Como aquela porta do armário do banheiro, que o marido não conseguiu arrumar, e o ego arranhado dele, quando viu que ela conseguira. Cadarços arrebentados? Corações partidos? Partindo para a discussão? Terminando o namoro? As mães dão um jeito nisso tudo. Tem coisas que só as mães conseguem consertar.

Tem coisas que só as mães podem saber. O tempo que leva da aula de piano até o treino de futebol? Ela sabe. Quantas pizzas são necessárias em uma festa do pijama? Mamãe sabe. Quantos pontos dos Vigilantes do Peso ela ainda pode comer no dia, e quantos dias faltam para acabar o semestre? Mamãe pode dizer. Ela sabe.

Nós, os homens, geralmente não sabemos. As crianças são mais perdidas ainda. As mães são uma raça à parte. O resto de nós só pode ficar se perguntando, refletindo. Podemos apenas dizer

Mãe, como é que foi?

Quando você sentiu o pé no seu útero,
    quando o choro do recém-nascido soou primeiro...
    pensar que você e o céu deram a volta no planeta inteiro...
Como é que foi?

E no dia em que o ônibus da escola chegou à sua porta
    e você ajeitou a merendeira, meio torta
    e beijou o rosto daquele menininho,
    deu adeus e notou o ninho
    silencioso e vazio.
Como é que foi?

Na primeira vez que você notou nele uma voz mais grossa
Quando ela brigou com o namoradinho e ficou na fossa
    e perguntou se o amor era para valer.
E você disse a ela. Como esquecer?

Então as velas se acenderam
E ela desceu o corredor até o altar
O que era para fazer? Rir? Chorar?
E quando sua criança veio contar-lhe da sua criança,
    e, na mesa da cozinha, aconselhou sua insegurança
"Mãe", ela sussurrou, "como é que será"?
O que você disse a ela, você nos diria? Diga: como foi, como é, como será?

Se você já teve pensamentos assim a respeito de como é ser mãe, imagine o quanto mais nos perguntamos a respeito da mais famosa de todas as mães: Maria. Trazer uma criança no ventre já é uma coisa fenomenal, imagine trazer Deus? Como é?

O parto virgem é muito, muito mais que uma história cristã: é uma imagem de como Cristo virá a você. A primeira parada em seu itinerário foi um útero. Onde irá Deus para tocar o mundo? Olhe para dentro de Maria e você obterá a resposta.

Melhor ainda, olhe para dentro de si. O que ele fez a Maria, ele oferece fazer a nós! Ele nos faz uma convocação ao estilo de Maria a todos os seus filhos. "Se você me aceitar, eu habitarei em você!"

Proliferando ao longo das Escrituras, essa preposição não deixa dúvidas — a preposição *em*. Jesus vive *em* seus filhos.

Para seus apóstolos, Cristo declarou "estou *em* vocês" (João 14:20, grifo do autor).

A oração de Paulo para os efésios era para que "Cristo habite *em* seus corações mediante a fé" (Efésios 3:17, grifo do autor).

Qual o mistério do Evangelho? "Cristo *em* vocês, a esperança da glória" (Colossenses 1:27, grifo do autor).

E o mais doce dos convites de Cristo? "Se alguém ouvir a minha voz e abrir a porta, eu entrarei *em* sua casa, e nós jantaremos juntos" (Apocalipse 3:20, grifo do autor).

Cristo cresceu em Maria até que teve de sair. Cristo crescerá em você até que a mesma coisa ocorra. Ele sairá no que você fala, no que você faz, no que você decide. Todos os lugares em que você estiver serão Belém, e todos os dias serão dia de Natal. Você, assim como Maria, dará Cristo ao mundo.

Deus *em* nós! Já nos demos conta da profundidade dessa promessa?

Deus estava *com* Adão e Eva, caminhando com eles na noite fresca.

Deus estava *com* Abraão, chegando a chamar o patriarca de amigo.

Deus estava *com* Moisés e os filhos de Israel. Os pais podiam apontar para o fogo, à noite, e para as nuvens, de dia, e mostrar às crianças. *Deus está conosco,* podiam afirmar.

Entre o querubim da arca, na glória do templo, Deus estava *com* seu povo. Ele estava *com* seus apóstolos. Pedro podia até tocar a barba de Deus. João podia ver Deus dormindo. As multidões podiam escutar sua voz. Deus estava *com* eles!

Mas agora ele está *em* você. Você é como Maria dos dias de hoje. Ou até mais. Ele era apenas um feto em Maria. Em você ele é uma força. Ele fará o que você não pôde fazer. Imagine um milhão de reais depositado na sua conta bancária. Para qualquer observador, você continuará parecendo o mesmo, tirando o sorriso bobo, mas você será o mesmo? De modo algum! Com Deus *em* você, você tem um milhão de recursos de que não dispunha anteriormente!

Não consegue largar a bebida? Cristo consegue. E ele vive em você.

Não consegue parar de se preocupar? Cristo consegue. E ele vive em você.

Não consegue perdoar os canalhas, esquecer o passado ou desculpar-se pelos maus hábitos? Cristo consegue! E ele vive em você.

Paulo sabia disso. "É para realizar essa tarefa que eu trabalho e luto com a força de Cristo, que está agindo poderosamente *em* mim" (Colossenses 1:29, grifo do autor).

Assim como Maria, você e eu temos Jesus habitando *em* nós.

Acha difícil acreditar nisso? E para Maria, acha que foi fácil para ela? Quando perguntaram para a menina Maria o que ela queria ser quando crescesse, ela não respondeu "quero ser a mãe de Deus." Não. Ninguém se surpreendeu mais com esse milagre do que ela própria.

E ninguém foi mais passiva que ela. Deus fez tudo. Ela não se ofereceu para ajudar. O que Maria tinha para oferecer? Conselhos? "Do meu ponto de vista, um coro celestial ficaria bem chique". É, então tá. Ela não ofereceu nenhum auxílio.

E não ofereceu resistência. Poderia ter resistido. "Quem sou eu para ter Deus em meu ventre? Eu não sou digna", poderia ter dito. Ou "tenho outros planos. Não tenho tempo para Deus na minha vida".

Mas Maria não disse nada disso. Em vez disso, disse: "Sou serva do Senhor; que aconteça comigo conforme a tua palavra" (Lucas 1:38). Se formos nos basear em Maria, parece que Deus está menos interessado no talento do que na capacidade de confiar.

Diferentemente dela, nossa tendência é tentar ajudar Deus, supondo que nossa parte é tão importante quanto a dele. Ou senão, resistimos, achando que não somos bons o suficiente, ou que estamos ocupados demais. Ainda assim, quando ajudamos ou resistimos, deixamos de receber a maior graça de Deus. Não percebemos a razão pela qual fomos colocados na Terra — ficarmos grávidos do Filho dos Céus para que ele viva em nós. Para ser tão repleto dele que poderíamos dizer, com Paulo: "Já não sou eu quem vive, mas Cristo vive em mim" (Gálatas 2:20).

Como seria *isso*? Ter dentro de si uma criança já é um milagre, mas Cristo ter dentro de si?

> Ter minha voz, mas ele falando
> Meus passos, mas Cristo guiando
> Meu coração, mas seu amor pulsando

em mim, através de mim, comigo.
Como é ter Cristo dentro de mim?

Recorrer à sua força quando as minhas se exauriram
ou sentir o poder dos fogos celestiais
crepitarem, arderem os desejos equivocados.
Poderia Cristo tornar-se todo o meu ser?

Tanto dele, tão pouco de mim
Que, com meus olhos, é ele que vejo
Como é ser como Maria?
Já não mais eu, mas Cristo em mim.

13

Uma cura para a vida comum

Lugares comuns
Marcos 6:3

Você acordou hoje em um dia comum. Não havia mordomos para preparar seu banho. Não havia governantas para separar suas roupas. Seus ovos não eram omelete trufado, e seu suco de laranja veio de uma caixa, não da sua fazenda. Mas tudo bem, não há nada especial a respeito desse dia. Não é seu aniversário, Natal ou coisas assim, é um dia como outro qualquer. Um dia comum.

Então você foi à garagem e entrou em seu carro comum. Uma vez você leu que os filhos da rainha nunca tiveram de dirigir na vida. Já ouviu falar de executivos e sheiks árabes que vão para seus escritórios de helicóptero. Quanto a você, uma vez andou de *limousine*, mas era no dia do seu casamento. Desde então dirige sedãs e peruas. Carros comuns.

Carros comuns que o transportam até seu trabalho comum. Você o leva a sério, mas jamais o chamaria de extraordinário. Você não está marcando entrevistas para a televisão, nem está se preparando para aparecer no Congresso. Só o que você quer é terminar o serviço antes que o engarrafamento das seis transforme a avenida em estacionamento.

Ficar parado no tráfego noturno, e se preparar para esperar na fila. A fila na alça do viaduto. A fila na quitanda ou a fila no posto de gasolina. Se você fosse o governador, ou tivesse um

Oscar na prateleira, você poderia passar ao largo das multidões. Mas você não é, nem tem. Você é comum.

Você leva uma vida comum. Pontuada por casamentos eventuais, mudanças de emprego, troféus de boliche e formaturas — poucos destaques —, mas no fim e ao cabo no mesmo ritmo cotidiano em que segue a maioria da humanidade.

E, como resultado, você poderia empregar algumas dicas. Você tem de saber como ser bem-sucedido sendo comum. Ser comum tem seus perigos, você sabe. Um rosto na multidão pode se perder na multidão. Você tem a tendência de achar-se improdutivo, perguntando-se se você vai deixar algum legado duradouro. E sente-se insignificante. As pessoas comuns são bem conceituadas no Céu? Será que Deus ama as pessoas comuns?

Deus responde a essas perguntas de um modo nada comum. Se o termo *comum* é usado para descrevê-lo, fique tranquilo — você está em ótima companhia. Esse termo também é usado para descrever Cristo.

Como assim, Cristo "comum"? Desde quando caminhar sobre as águas é "comum"? Falar com os mortos, "comum"? Erguer-se dos mortos, "comum"? Podemos chamar a vida de Jesus de "comum"?

Nove entre dez pessoas entre nós pode falar isso. Quando você lista os lugares em que Cristo viveu, e faz um círculo em torno de uma cidade chamada Nazaré — um pontinho de nada no mapa, na beira do lugar-nenhum. Em trinta de seus trinta e três anos, Cristo viveu uma vida comum. Tirando aquele incidente no templo quando ele tinha doze anos, não temos registro algum do que ele disse ou fez pelos primeiros trinta anos de sua caminhada na Terra.

Se não fossem pelas declarações no evangelho de Marcos, não teríamos como saber nada dos primeiros anos de vida adulta de Jesus. Não é muita coisa, mas é fio o suficiente para alinhavar alguns pensamentos àqueles que sofrem da vida comum. Se você é amigo dos grandes craques e tem um iate na marina, pode se incluir fora dessa. Se você nem saberia o que dizer para um grande craque e nem sabe direito o que é um iate, então vem para cá. Eis o versículo:

"Não é este o carpinteiro?" (Marcos 6:3).

(Eu disse que não era muita coisa.) Os vizinhos de Jesus falaram essas palavras. Surpresos com a popularidade que ele ganhou depois de adulto, perguntaram: "Ele não é aquele cara que consertou meu telhado?"

Observe o que os vizinhos não disseram:

"Não é este o carpinteiro que ficou me devendo dinheiro?"

"Não é este o carpinteiro que aplicou um golpe no meu pai?"

"Não é este o carpinteiro que nunca terminou o serviço na minha mesa?"

Não, essas palavras nunca foram ditas. Os preguiçosos dão duro para se esconderem em uma cidade pequena. Os picaretas mudam de cidade em cidade para sobreviver. Jesus não precisava fazer o mesmo. Precisa consertar o arado? Cristo pode se encarregar disso. Está precisando de um jugo novo para seu carro de boi? "Meu vizinho é carpinteiro, ele vai fazer um preço justo." O trabalho pode até ter sido comum, mas sua diligência certamente não foi. Jesus levava seu trabalho a sério.

E a cidade podia ser comum, mas sua atenção para com ela não era. A cidade de Nazaré assenta-se sobre uma colina. Certamente nenhum menino nazareno poderia resistir a uma escalada ocasional para olhar o vale lá embaixo. A uns duzentos metros acima do nível do mar, o jovem Jesus podia examinar o mundo que criara. Montanhas floridas na primavera. O sol quando se punha. Pelicanos batendo as asas ao longo do fluxo do rio Quisom até o mar da Galileia. A relva debruada de tomilho aos seus pés. Campos e figueiras a distância. Você não acha que esses momentos inspiraram as palavras que diria mais tarde? "Vejam como crescem os lírios do campo" (Mateus 6:28) ou "observem as aves do céu" (Mateus 6:26). As palavras de Jesus, o rabino, nasceram dos pensamentos de Jesus, o garoto.

Ao norte de Nazaré ficam as colinas encarapitadas de florestas de Naftali. Vê-se claramente sobre uma dessas colinas a vila de Safed, conhecida na região como "a cidade construída sobre um monte".[1] Estaria Jesus pensando em Safed quando disse: "Não se pode esconder uma cidade construída sobre um monte" (Mateus 5:14).

O fazedor de jugos mais tarde explicou: "Pois o meu jugo é suave." (Mateus 11:30). Aquele que estava acostumado com o pó de serragem nos olhos perguntaria mais tarde: "Por que você repara no cisco que está no olho do seu irmão, e não se dá conta da viga que está em seu próprio olho?" (Mateus 7:3).

Ele viu como as sementes no caminho não criam raízes (Lucas 8:5) e como uma semente de mostarda produzia uma grande árvore (Mateus 13:31,32). Lembrava-se dos amanheceres rubros (Mateus 16:2) e dos raios no céu oriental (Mateus 24:27). Jesus prestava atenção a sua vida comum.

Você está prestando atenção à sua vida? A chuva batucando na janela. O céu claro pontuado de estrelas em agosto. A risada de um bebê em um ônibus lotado. Ver o nascer do sol enquanto o resto do mundo dorme. Não seriam essas epístolas pessoais? Será que Deus não pode falar no caminho do trabalho na segunda-feira ou na troca de fraldas à meia-noite? Tome nota da sua via.

> Não há evento, por mais comum, em que Deus não esteja presente, sempre de forma escondida, sempre deixan-

do espaço para que você o reconheça ou não... Veja [sua vida] pelo mistério imperscrutável que ela é. No tédio ou na dor, ainda antes que na animação ou felicidade: toque, experimente e cheire seu caminho para o coração, santo e escondido porque, em última análise, esses momentos são momentos-chave, e a própria vida é uma graça.²

Na próxima vez em que sua vida parecer comum demais, siga a dica de Cristo. Preste atenção em seu trabalho e em seu mundo. A obediência de Jesus começou em uma pequena oficina de carpintaria em uma cidadezinha de nada. Sua abordagem incomum a essa vida comum preparou-o para seu chamado incomum. "Quando Jesus entrou na vida pública, ele tinha por volta de trinta anos de idade" (Lucas 3:23, paráfrase). Para entrar na vida pública, você tem de abandonar a vida privada. Para que Jesus pudesse modificar o mundo, ele tinha de dizer adeus a *seu* mundo.

Ele tinha de dar um beijo em Maria. Comer uma última refeição na cozinha, uma última caminhada pelas ruas. Será que ele ascendeu a uma das colinas de Nazaré e pensou sobre o dia em que ele ascenderia na colina próxima a Jerusalém?

Ele sabia o que iria acontecer. "Ele foi escolhido por Deus antes da criação do mundo" (1 Pedro 1:20, NTLH). Cada grama de seu sofrimento já tinha sido escrito — só coube a ele desempenhar o papel.

Não que ele tivesse de fazê-lo. Nazaré era uma cidade acolhedora. Por que não abrir um negócio de carpintaria? Manter sua identidade em segredo? Voltar à Terra na época das guilhotinas e cadeiras elétricas, e deixar passar essa fase das crucificações. Ser forçado a morrer é uma coisa, mas assumir com disposição a própria cruz é bem outra.

Allan e Penny McIlroy podem dizer isso. O fato de que eles tinham duas crianças adotadas é louvável, mas não é incomum. O fato de que eles adotaram crianças com necessidades especiais é significativo, mas não é único. É a gravidade das doenças que tornam essa história especial.

Saleena é um bebê da cocaína. A overdose de sua mãe natural fez Saleena não poder ouvir, ver, falar ou mover-se. Alan e Pelly a adotaram quando a criança tinha sete semanas. O médico lhe deu um ano de vida. Ela já viveu seis.

Quando Penny me apresentou a Saleena, ela ajeitou seu cabelo e apertou suas bochechas, mas Saleena não reagiu. Ela nunca reage. A não ser que surja um milagre, ela nunca irá reagir. Com sua irmã acontece o mesmo. "Essa é Destiny", Penny me disse. Na cama adjacente, Destiny, de um ano está deitada, imóvel e vegetativa. Penny jamais ouvirá a voz de Destiny. Alan nunca irá receber os beijos de Saleena. Nunca verão suas filhas cantando no coral, nunca as verão atravessar o palco. Vão banhá-las, trocar suas roupas, ajustar seus tubos de alimentação e massagear seus membros inertes. Mas, se não for pela intervenção de Deus, esse casal nunca ouvirá mais do que o que se ouviu naquela tarde — um som de respiração meio entupida. "Tenho que sugar o nariz de Saleena", Penny disse-me. "Talvez você queira sair."[3]

Eu saí, e, quando saía, me perguntava que tipo de amor era aquele. Que tipo de amor adota o desastre? Que tipo de amor olha no rosto das crianças, sabendo muito bem o peso da calamidade, e diz: "Vou ficar com elas"?

Quando você precisar de uma palavra para definir esse amor, recorra a Cristo. Porque o dia em que ele deixou Nazaré para trás foi o dia em que ele declarou sua devoção por você e por mim. Estamos igualmente indefesos, em um estado espiritualmente vegetativo pelo pecado. Segundo Pedro, nossas vidas são "vazias e inúteis" (1 Pedro 1:18, paráfrase). Mas Deus, "imenso em misericórdia e com um amor incrível... nos abraça. Ele tomou nossa vida morta pelo pecado e nos fez vivos em Cristo. Ele fez tudo isso sozinho, sem nossa ajuda!" (Efésio 2:4,5, paráfrase).

Jesus partiu de Nazaré em busca das Saleenas e Destinys espirituais do mundo, e nos trouxe à vida.

Talvez não sejamos assim tão comuns.

14

Ah, ser livre dos PDPs...

Lugares religiosos
Lucas 2:41-49

Você se lembra de quando só as pessoas contraíam vírus? Quando os termos "parasita" e "verme" eram aplicados a organismos vivos e a nossos irmãos menores? Quando as infecções virais eram tratadas pelo médico e "quarentena" significava o isolamento das pessoas doentes e de animais de estimação?

Já não é assim. Hoje em dia, até os computadores ficam doentes. A preparação deste capítulo teria começado muitas horas mais cedo se não tivesse aparecido um alerta estilo guerra-química-risco-de-vida. "Não abra arquivo algum! Seu computador pode ter sido infectado por um vírus!" Eu esperei que agentes do Centro de Controle de Desastres Infecciosos vestindo uniformes radioativos entrassem porta adentro, me cobrissem e levassem meu laptop embora.

Eles não o levaram, mas um médico de computadores o fez. E instalou um programa antivírus que protege a máquina contra 60.959 vírus.

Pensei em perguntar se o mortal Ebola estava entre eles, mas não o fiz. Mas aprendi que centenas de milhares de vírus já foram criados, e suponho que foram criados pelo mesmo pessoal que grafita os prédios e deixa o sal desatarrachado nos restaurantes. Encrenqueiros que entram em seu computador por cavalos de Troia e comem seus dados com o Pac Man. Disse ao técnico do computador que nunca havia visto nada como aquilo.

Mais tarde, me dei conta de que havia visto sim. De fato, um vírus de computador é uma gripe comum comparado ao ataque estilo Chernobyl que você e eu enfrentamos. Pense em sua mente como um computador feito para guardar e processar quantidades imensas de dados (sem comentários sobre a capacidade do disco rígido do seu vizinho, por favor). Pense em sua força como software. Os pianistas rodam programas de música. Os contadores parecem que já nasceram com planilhas eletrônicas instaladas. As pessoas que amam se divertir vêm com jogos na memória. Somos diferentes, mas cada um tem seu computador e software e, infelizmente, todos temos vírus. Você e eu somos infectados por pensamentos destrutivos.

Os vírus de computador têm nomes como Klez, Anna Kournikova e EUTEAMO. Os vírus mentais são conhecidos como ansiedade, amargura, raiva, culpa, vergonha, cupidez e insegurança. Eles escavucam o caminho para o sistema central e diminuem a capacidade de nossa mente — até podem desligá-la. Nós os chamamos de PDPs: Padrões Destrutivos de Pensamento. (Para ser sincero, só eu os chamo de PDPs.)

Você tem algum PDP?

Quando você vê alguém bem-sucedido, você sente inveja?

Quando você vê alguém se dando mal, você sente soberba?

Quando você implica com alguém, a chance de você passar a gostar dessa pessoa é pequena quanto a de eu ganhar a maratona olímpica?

Já discutiu com alguém em sua mente? Reencena suas feridas na cabeça? Acha que o pior ainda está por vir?

Se for assim, você sofre de PDPs.

Como seria nosso mundo sem eles? Se não houvesse pensamentos sombrios ou destrutivos perturbando sua mente, em que você seria diferente? Suponha que você pudesse reviver sua vida, só que sem culpa, luxúria, vingança, insegurança ou medo. E nunca teria de desperdiçar energia mental em fofoca ou ardis. Em que você seria diferente?

O que é que você teria que não tem? (Respostas sugeridas na página 145.)

O que você teria feito que não fez? (Respostas sugeridas na página 145.)

Ah, ser livre dos PDPs... Nada de gastar energia, nada de desperdiçar o tempo. Uma pessoa assim não seria enérgica e sábia? Uma vida toda de pensamentos saudáveis e santos tornaria qualquer pessoa em um gênio alegre.

Mas onde encontrar um indivíduo assim? Podemos comprar um computador sem infecção — mas uma pessoa não infectada? Impossível. Refaça o caminho do vírus até sua origem, o hacker que o criou. Refaça o caminho de nossos vírus mentais até sua origem, a queda do primeiro homem, Adão. Por causa do vírus, nossa mente está cheia de pensamentos sombrios. "...Porque, tendo conhecido a Deus, não o glorificaram como Deus, nem lhe renderam graças, mas os seus pensamentos tornaram-se fúteis e os seus corações insensatos se obscureceram. Dizendo-se sábios, tornaram-se loucos" (Romanos 1:21,22).

Culpe os PDPs pelos pecados. O pecado bagunça nossa mente. Mas, e se o vírus nunca tivesse entrado? Suponha que uma pessoa nunca tenha aberto os e-mails de Satanás. Como seria essa pessoa?

Seria bem como o menino de doze anos sentado no templo de Jerusalém. Ainda imberbe e vestido com roupas simples, os pensamentos desse menino eram profundos. Pergunte aos teólogos com quem ele conversou. Lucas nos faz o relato:

> Depois de três dias [seus pais] o encontraram no templo, sentado entre os mestres, ouvindo-os e fazendo-lhes per-

guntas. Todos os que o ouviam ficavam maravilhados com o seu entendimento e com as suas respostas (Lucas 2:46,47).

Por três dias José e Maria ficaram afastados de Jesus. O templo era o último lugar em que foram procurá-lo. Mas foi o primeiro lugar aonde foi Jesus. Ele não foi à casa de um primo nem ao *playground* de um colega. Jesus procurou o lugar da reflexão santa e, ao fazê-lo, nos inspirou a fazer o mesmo. Quando José e Maria localizaram seu filho, ele havia deixado perplexos os homens mais educados naquele templo. Esse menino não pensava como menino.

Por quê? O que fazia Jesus ser diferente? A Bíblia nada fala a respeito do seu QI. Quando se trata da capacidade RAM do seu computador mental, não nos dizem nada. Mas, quando se trata de pureza mental, somos informados disso: "Cristo "não conhecia pecado" (2 Coríntios 5:21). Pedro diz que Jesus "não cometeu pecado algum, e nenhum engano foi encontrado em sua boca" (1 Pedro 2:22). João conviveu com Jesus por três anos e concluiu que "nele não há pecado" (1 João 3:5).

Sua alma era imaculada, e assombroso é o testemunho daqueles que o conheceram. Tiago, seu irmão de carne, chama Jesus de "o justo" (Tiago 5:6). Pilatos não pôde encontrar nele motivo algum de condenação (João 18:38). Judas confessou que ele, ao trair Cristo, havia traído sangue inocente (Mateus 27:4). Mesmo os demônios proclamaram sua condição única: "Sei quem tu és: o Santo de Deus!" (Lucas 4:34).

O mais eloquente testemunho de sua perfeição foi o silêncio que se seguiu a esta pergunta. Quando os que o acusavam chamaram-no de servo de Satanás, Jesus pediu que se lhe mostrassem as provas. "Qual de vocês pode me acusar de algum pecado?" (João 8:46), ele provocou. Se você pedir ao meu círculo de amigos para apontar em mim algum pecado, obterá muitas respostas. Quando aqueles que conheceram Jesus receberam a mesma pergunta, ninguém disse nada. Cristo era seguido por seus discípulos, analisado pelas multidões, criticados pela família e esquadrinhado pelos inimigos, ainda assim ninguém conseguiu se lembrar dele cometendo um mísero pecado. Nunca foi flagrado onde não devia. Nunca disse uma palavra errada. Nunca agiu de forma errada. Nunca pecou. Não que não fosse tentado a pecar, note bem. Ele "passou por todo tipo de tentação, porém, sem pecado" (Hebreus 4:15).

A luxúria o atiçava. A avareza se oferecia. O poder o clamava. Jesus — o humano — passou pelas tentações. Mas Jesus — o Deus santo — resistiu. Ele recebeu e-mails contaminados, mas resistiu à vontade de abri-los.

A expressão "sem pecado" jamais sobreviveu a associações com outras pessoas. Os que melhor conheciam Jesus, no entanto, falavam em uníssono de sua pureza, e com convicção. E por ser sem pecado, sua mente estava imaculada. Sem PDPs. Não é à toa que as pessoas estivessem "maravilhadas com seus ensinamentos" (Marcos 1:22). Sua mente estava livre de vírus.

Mas isso importa? A perfeição de Cristo me afeta? Se ele fosse um criador distante, a resposta seria não. Mas já que ele é o Salvador ao lado, a resposta é um grande SIM!

Lembra-se do menino de doze anos no templo? Aquele com os pensamentos cristalinos e uma mente de Teflon? Adivinha. Este é o objetivo de Deus para você! Você foi feito para ser como Cristo! A prioridade de Deus é que você seja transformado "pela renovação da sua mente" (Romanos 12:2). Você pode ter nascido com vocação para pegar vírus, mas não tem de viver desse jeito. Há esperança para sua cabeça! Você é daqueles que vive preocupado? Não tem de ser assim para sempre. A culpa o empesteou e a vergonha o maculou? Tem pavio curto? É invejoso? Deus pode cuidar disso. Deus pode renovar sua mente.

Se você quer um exemplo de candidato a PDP, eu apresento George. Abandonado por seu pai, ficou órfão de mãe. O menininho foi passado de abrigos para as ruas, e de volta para os abrigos, muitas vezes. Um alvo fácil para a amargura e a raiva, George poderia ter passado sua vida inteira tentando vingar-se. Mas não o fez. Não o fez porque Mariah Watkins o ensinou a ter bons pensamentos.

As necessidades de um atraiu o outro — Mariah, uma lavadeira sem filhos, e George, o órfão sem lar. Quando Mariah descobriu o menininho dormindo em seu celeiro, ela o acolheu. Não somente isso, ela tomou conta dele, levou-o à igreja, e o ajudou a encontrar Deus. Quando George deixou a casa de Mariah, entre seus poucos pertences estava a Bíblia que ela deu a ele. Quando George deixou a casa de Mariah, ela havia deixado nele sua marca.[1]

E, quando George deixou este mundo, ele deixou a sua.

George — George Washington Carver — é pai da moderna agricultura. A História credita a ele mais de trezentos produtos extraídos somente do amendoim. O órfão convidado à casa de Mariah Watkins tornou-se amigo de Henry Ford, Mahatma Gandhi e de três presidentes norte-americanos. Ele entrava em seu laboratório a cada dia com esta oração: "Abre-me os olhos para que eu possa enxergar as maravilhas engendradas por sua lei."[2]

Deus respondeu a tais perguntas. Ele mudou o homem ao renovar sua mente. E como isso acontece? Acontece fazendo o que você está fazendo neste exato instante. Refletindo a glória de Cristo. "E todos nós, que com a face descoberta contemplamos a glória do Senhor, segundo a sua imagem estamos sendo transformados com glória cada vez maior, a qual vem do Senhor, que é o Espírito" (2 Coríntios 3:18).

Contemplá-lo é tornar-se como ele. Quando Cristo dominar seus pensamentos, ele o modificará de um grau da glória para outro até que — espere! — você esteja pronto para morar com ele.

O Céu é o lar da mentes sem pecado. Pensamentos livres de vírus. Confiança absoluta. Sem medo ou raiva. A vergonha e a insegurança são práticas de uma vida anterior. O Céu será maravilhoso, não porque as ruas serão de ouro, mas porque nossos pensamentos serão puros.

Então, o que é que você está esperando? Instale o antivírus de Deus. "Mantenham o pensamento nas coisas do alto, e não nas coisas terrenas" (Colossenses 3:2). Dê a ele seus melhores pensamentos, e veja se ele não vai modificar sua vida.

RESPOSTAS

Mais tempo para dormir, mais alegria e paz. Teria abraçado mais as crianças, teria amado mais minha esposa, teria criado um antivírus de computador e teria viajado para assistir ao Max ganhar a maratona nas Olimpíadas.

15

De vacilantes a decididos

Lugares inesperados
Mateus 3:13-17

Ninguém presta muita atenção nele. Não que devessem prestar. Nada em sua aparência o distingue do resto da multidão. Como os demais, ele está na fila, esperando sua vez. A lama fresca entre seus dedos lhe dá uma sensação agradável, e um jorro d'água vez por outra é bem-vinda em seus pés. Ele, assim como os outros, pode ouvir a voz do pregador a distância.

Entre os batizados, João Batista é dado a pregações. Impetuoso. Feérico. Feroz. Sem medo. Rosto de bronze, cachos bravios. Seus olhos são tão selvagens quanto o interior do país, de onde veio. Sua presença é um sermão — uma voz, a "voz do que clama no deserto: 'Preparem o caminho para o Senhor'" (Lucas 3:4).

Ele está imerso até a cintura nas águas cor de cobalto do Jordão. Fez suas vestimentas com pelo de camelo, suas refeições com insetos e, mais importante, conclama toda a gente para a água. "Ele percorreu toda a região próxima ao Jordão, pregando um batismo de arrependimento para o perdão dos pecados" (Lucas 3:3).

O batizado não era uma prática nova. Era um requisito para todo mundo que quisesse se converter ao Judaísmo. O batizado era para as pessoas encardidas, de segunda-classe, os não escolhidos. Não era para os limpos, primeira-classe, os favoritos

— os judeus. Eis aqui o nó da questão. João recusava-se a distinguir entre judeus e não judeus. Em seu livro, cada coração merecia tratamento especial.

Cada coração, mas não todos. É por isso que João se assombrou quando aquele coração abriu caminho pelo rio.

> Mas João tentou convencê-lo a mudar de ideia, dizendo assim: "Eu é que preciso ser batizado por você, e você está querendo que eu o batize?" Mas Jesus respondeu: "Deixe que seja assim agora, pois é dessa maneira que faremos tudo o que Deus quer." E João concordou. Logo que foi batizado, Jesus saiu da água. O céu se abriu, e Jesus viu o Espírito de Deus descer como uma pomba e pousar sobre ele. E do céu veio uma voz, que disse: "Este é o meu Filho querido, que me dá muita alegria!" (Mateus 3:14-17, NTLH).

A relutância de Jesus é compreensível. Uma cerimônia batismal é um lugar estranho para encontrar o Filho de Deus. Ele deveria ser o batizante, não o batizado. Por que quereria Jesus ser batizado? Se o batismo era, e é, para o pecador confesso, como poderíamos explicar a imersão da única alma na história sem pecado?

Você encontrará a resposta nos pronomes: "Jesus respondeu: 'Deixe que seja assim agora, porque é dessa maneira que [*nós*] faremos tudo o que Deus quer [que *nós* façamos]'" (Mateus 3:15, grifo do autor).

Quem seríamos "nós"? Jesus e nós. E por que Jesus se incluiu? É fácil entender porque você e eu e João Batista e as multidões no riacho têm de fazer o que Deus diz. Mas Jesus? Por que ele precisaria ser batizado?

Eis o porquê: ele fez por nós o que eu fiz por uma de minhas filhas na loja do aeroporto de Nova York. A placa acima das peças de cerâmica avisava: "Não toque." Mas o desejo foi mais forte que o aviso, e ela tocou. E a peça caiu. Quando eu olhei para cima, Sara, com seus dez anos, estava segurando os dois pedaços de um panorama de Nova York. Ao seu lado estava um gerente de loja chateado. Acima de ambos pairava o tal aviso expresso. Entre eles um silêncio nervoso. Minha filha não tinha dinheiro algum. Ele não tinha clemência. Então fiz o que os pais fazem. Entrei na história. "Quanto é que *nós* devemos?", perguntei.

Como é que eu devia alguma coisa? Simples. Ela era minha filha. E, já que ela não podia pagar, eu o fiz.

Já que você e eu não podemos pagar, ele o fez. Nós partimos muito mais do que lembrancinhas. Partimos os mandamentos, as promessas e, pior de tudo, partimos o coração de Deus.

Mas Cristo vê nosso aperto. Com a lei na parede e os mandamentos em pedaços, no chão, ele entra na história (como faz um vizinho) e nos oferece uma dádiva (como um Salvador).

O que é que nós devemos? Devemos a Deus uma vida perfeita. Obediência perfeita a cada mandamento. Não só ao mandamento do batismo, mas aos mandamentos de humildade, honestidade e integridade. Nós não podemos cumprir com tudo isso. Dá no mesmo se nos cobrassem a escritura da cidade de Nova York. Mas Cristo podia cumprir, e o fez. Seu mergulho no rio Jordão é uma imagem de seu mergulho em nossos pecados. Seu batismo anuncia "deixe-me pagar".

Quando você é batizado, está respondendo "é claro que vou deixar". Ele oferece-se publicamente. Podemos aceitar publicamente. Nós "fomos batizados para ficarmos unidos com Cristo Jesus" (Romanos 6:3, NTLH). No batismo, identificamo-nos com Cristo. Passamos de vacilantes a decididos. Emergimos das sombras, apontamos em sua direção e anunciamos: "Estou com ele."

Eu costumava fazer isso nos cinemas *drive-in*.

Lembra-se dos cinemas tipo *drive-in*? (Crianças, perguntem a um adulto!) Aquele *drive-in* da cidade de Andrews, no Texas, tinha um especial às sextas de noite — o carro inteiro só pagava o ingresso do motorista. Tanto fazia se o carro levasse um passageiro ou doze, o preço era o mesmo. Muitas vezes optávamos pelo pacote de uma dúzia. A lei de hoje não nos permite mais fazer o que fazíamos. Encolhíamos os ombros, os menores iam no colo dos maiores. O passeio era penoso, mas o preço era ótimo. Quando a pessoa da bilheteria olhava para dentro do carro, apontávamos para o motorista e dizíamos "estamos com ele".

Deus não lhe diz para subir no carro de Cristo, ele diz para subir para Cristo. "Agora já não existe nenhuma condenação para as pessoas que estão unidas com Cristo Jesus" (Romanos 8:1, NTLH). Ele é o seu veículo. O batismo celebra sua decisão de tomar assento. "Os que *em* Cristo foram batizados, de Cristo se revestiram" (Gálatas 3:27, grifo do autor). Não somos salvos pelo ato em si, mas o ato demonstra o modo pelo qual somos salvos. Recebemos crédito por uma vida perfeita que nós não levamos — de fato, uma vida que jamais poderíamos levar.

Recebemos uma dádiva similar à que o cantor Billy Joel deu a sua filha. Em seu aniversário de doze anos, ela estava em Nova York, e o músico estava em Los Angeles. Ele telefonou para ela de manhã, para se perdoar pela ausência, mas disse-lhe que esperasse uma entrega especial até o fim do dia. A filha atendeu à campainha da porta naquela noite para encontrar uma caixa de quase dois metros de altura, embrulhada em papel de presente. Ela abriu a caixa e de dentro saiu seu pai, que acabara de chegar de avião, vindo da Califórnia.

Você consegue imaginar sua surpresa?[1]

Talvez você consiga. O seu presente também veio em carne e osso.

16

O longo e solitário inverno

Lugares desérticos
Lucas 4:1-13

O deserto. Terra árida. Tochas afiadas. Areia instável. Sol escaldante. Espinhos cortantes. Oásis de miragem. Horizontes ondulados sempre fora do alcance. Os desterros do deserto.

O deserto da alma. Promessas áridas. Palavras afiadas. Compromissos instáveis. Raiva escaldante. Rejeições cortantes. Esperança de miragem. Soluções distantes sempre fora do alcance. Os desterros da alma.

Alguns de vocês conhecem o primeiro tipo. Todos vocês conhecem o segundo. Jesus, no entanto, conhecia a ambos.

Com a pele ainda úmida da água do Jordão, ele se isolou da comida e dos amigos, e entrou no país das hienas, lagartos e urubus. "Jesus, cheio do Espírito Santo, voltou do Jordão e foi levado pelo Espírito ao deserto, onde, durante quarenta dias, foi tentado pelo diabo. Não comeu nada durante esses dias e, ao fim deles, teve fome" (Lucas 4:1,2).

O deserto não foi um período comum para Jesus. A normalidade foi deixada no Jordão e só seria recuperada na Galileia. O deserto era e ainda é incomum. Um parêntese sombrio na história da vida. Uma temporada feérica de encontros cara a cara com o demônio.

Você não precisaria viajar até Israel para conhecer o deserto. Um cemitério teria o mesmo efeito. Ou um hospital. O pesar pode levá-lo ao deserto. Assim como o divórcio, a dívida ou a depressão.

Hoje tive notícia de um amigo que, achando que estava livre do câncer, vai voltar para a quimioterapia. Deserto. Esbarrei com um sujeito na hora do almoço que costumava me contar como seu casamento andava difícil. Perguntei a ele como estava a situação. "Vai indo", deu de ombros. Deserto. Abri um e-mail de um conhecido que está passando o verão na casa de sua mãe desenganada. Ela, o asilo e a morte. Esperando. No deserto.

Muitas vezes você pode identificar incursões ao deserto nos momentos de transição. Jesus entrou no rio Jordão como carpinteiro e de lá saiu como messias. Seu batismo virou uma chave no interruptor.

Você tem passado por transições ultimamente? Uma transferência? Foi promovido? Rebaixado? Uma casa nova? Se for assim, fique atento. O deserto pode estar bem perto.

Como é que você pode saber quando está em um deserto?

Você está sozinho. Seja de fato ou de sentimento, ninguém pode ajudá-lo, compreendê-lo ou resgatá-lo.

E sua luta parece não ter fim. Na Bíblia, o número quarenta está associado a longas batalhas. Noé enfrentou a chuva por quarenta dias. Moisés enfrentou o deserto por quarenta anos. Jesus suportou a tentação por quarenta noites. Atente para esse fato: ele não suportou a tentação um dia, entre os quarenta que passou no deserto. Jesus "no deserto onde, durante quarenta dias, foi tentado pelo diabo" (vv. 1,2). A batalha não se resumiu a três perguntas. Jesus passou um mês e dez dias disputando com Satanás. O deserto é um longo e solitário inverno.

De médico em médico. De currículo em currículo. De fralda em fralda. De antidepressivo em antidepressivo. De tristeza em tristeza. O calendário não sai de agosto, e você está preso na Antártica e nem se lembra de como era o cheiro da primavera.

Outro sintoma dos desertos: você pensa o impensável. Com Jesus foi assim. Possibilidades loucas cruzavam sua mente. Virar parceiro de Satanás? Escolher ser um ditador, e não um salvador? Tocar fogo na Terra e começar tudo do zero em Plutão? Não sabemos o que passou por sua cabeça. Só sabemos isto. Que ele foi tentado. E que, "cada um, porém, é tentado pela própria cobiça, sendo por esta arrastado e seduzido" (Tiago 1:14). A tentação "arrasta" e "seduz". O que era inimaginável antes do deserto torna-se possível nele. Um casamento difícil pode fazer um bom homem olhar duas vezes para a mulher errada. Uma doença prolongada faz até a alma mais empedernida contemplar o suicídio. O estresse torna a noite mais fedorenta em um campo de flores. O deserto enfraquece a resolução.

Por essa razão, o deserto é a maternidade dos vícios. Comedores descontrolados, gastadores destemperados, beberrões incorrigíveis, pornografia — todas soluções imediatas para problemas profundos. Normalmente não têm apelos, mas, no deserto, você dá vazão ao impensável.

Foi o que Jesus fez. Jesus foi "tentado pelo diabo" (Lucas 4:2). As palavras de Satanás, ainda que por um instante, ressoaram. Ele pode não ter comido o pão, mas ficou na frente da padaria por um bom tempo para sentir o cheiro. Cristo conhece o deserto. Mais do que você poderia imaginar. Afinal de contas, ir para o deserto foi ideia dele.

Não jogue a culpa desse episódio em cima de Satanás. Ele não veio para o deserto em busca de Jesus. Jesus foi para os sertões procurando por ele. "Jesus foi levado pelo Espírito ao deserto, *para ser tentado* pelo diabo" (Mateus 4:1, grifo do autor). O Céu orquestrou esse encontro. Como podemos explicar isso? A lista dos lugares estranhos não para de crescer. Se Jesus no ventre e nas águas do Jordão não o surpreenderam, Jesus no deserto o fará. Por que Jesus foi ao deserto?

A palavra *revanche* diz alguma coisa para você? Pela segunda vez na história uma mente não caída será desafiada pelo anjo caído. O segundo Adão veio para ter sucesso onde o primeiro Adão fracassou. Jesus, no entanto, enfrenta um teste mais severo. Adão foi testado em um jardim; Cristo em um deserto árido. Adão enfrentou Satanás de barriga cheia; Cristo está no meio de um jejum. Adão tinha uma companhia: Eva. Cristo não tinha ninguém. Adão foi desafiado a permanecer sem pecado em um mundo sem pecado. Cristo, por outro lado, é desafiado a permanecer sem pecado em um mundo dominado pelo pecado.

Desprovido de qualquer auxílio ou desculpas, Cristo desafia o demônio a subir no ringue. "Você tem perturbado meus filhos desde o começo. Quero ver o que você pode comigo." E Satanás aceita. Por quarenta dias, os dois vão no mano a mano. O Filho do Céu é tentado, mas nunca se verga; é atingido, mas nunca é derrubado. Ele é bem-sucedido onde Adão fracassou. Sua vitória, de acordo com o que diz Paulo, é uma vitória imensa para todos nós. "Em resumo: assim como uma pessoa errou e nos trouxe todos esses problemas com o pecado e a morte, outra pessoa acertou e nos livrou de tudo aquilo" (Romanos 5:18, paráfrase).

Cristo segue seu papel como seu procurador, seu substituto. Ele fez por você o que meu amigo Bobby Aycock fez por David. Estavam ambos no quartel em 1959. David era querido por todos, mas era um soldado com uma desvantagem física. Ele tinha o desejo, mas não tinha a força. Não havia jeito de fazê-lo passar pelo teste de aptidão física. Era fraco demais para fazer as flexões.

Mas Bobby sentia tanta amizade por David que bolou um plano. Ele vestiu a camiseta do amigo. A camiseta trazia o sobrenome de David, duas iniciais, e sua matrícula de serviço. Os oficiais não conheciam os rostos, apenas liam os nomes e números nas camisetas e marcavam os pontos em uma lista de nomes. Então Bobby fez as flexões de David. David acabou se dando muito bem, sem nem ter suado a camisa.

E nem você. Olhe, você e eu não somos páreo para Satanás. Jesus sabe disso. Então ele vestiu nosso uniforme. Melhor ainda, ele vestiu nossa carne. Ele "passou por todo tipo de tentação, porém, sem pecado" (Hebreus 4:15). E, porque ele o fez, nós passamos no teste com notas altas.

Deus nos deu a nota que Jesus tirou no deserto. Acredite nisso. Se não acreditar, os dias do deserto aplicarão um golpe duplo em você. O gancho da direita é sua luta, e o *jab* de esquerda é a vergonha que sentirá por não tê-la vencido. Confie em sua obra.

E confie em sua palavra. Não confie nas suas emoções. Não confie em suas opiniões. Sequer confie em seus amigos. No deserto atente somente para a voz de Deus.

De novo, Jesus é nosso exemplo. Lembra-se de como Satanás o provocou? "Se tu és o Filho de Deus..." (Lucas 4:3,9). Por que Satanás diria isso? Porque ele sabia o que Cristo havia ouvido no batizado. "Este é o meu Filho amado, em quem me agrado" (Mateus 3:17).

"Você é de verdade o Filho de Deus?", Satanás pergunta. Então vem o desafio — "Prova". Prove fazendo alguma coisa:

"Mande a esta pedra que se transforme em pão" (Lucas 4:3).

"Se você me adorar, tudo será seu" (v. 7).

"Jogue-se daqui para baixo" (v. 9).

Que sedução sutil! Satanás não denuncia Deus: ele simplesmente suscita dúvidas a respeito de Deus. Será que seu trabalho é o suficiente? Trabalhos terrenos — como transformar em pão ou pular do templo — recebem o mesmo peso de trabalhos celestiais. Ele tenta desviar, pouco a pouco, nossa fonte de confiança para longe da promessa de Deus e em direção ao nosso desempenho.

Jesus não morde a isca. Não é preciso nenhum sinal dos Céus. Ele não pede que caia um raio, ele simplesmente cita a Bíblia. Três tentações. Três declarações.

"Está escrito..." (v. 4).

"Está escrito..." (v. 8).

"Dito está..." (v. 12).

A arma que Jesus escolheu para sobreviver foi as Escrituras. Se a Bíblia foi o suficiente para seu deserto, não deveria ser suficiente para nós, também? Não perca o foco do que é importante. Tudo o que você e eu precisamos para sobreviver está no Livro. Nós simplesmente temos que prestar atenção a ele.

Em uma viagem ao Reino Unido, nossa família visitou um castelo. No meio do jardim havia um labirinto. Muros após muros de cercas na altura dos ombros, levando a um muro sem saída, um depois do outro. Tente navegar com sucesso o labirinto, e descubra a porta para a alta torre no centro do jardim. Se você olhar as fotos que tiramos naquela viagem, você verá quatro membros da família em cima da torre. Hummm... Alguém tinha ficado lá embaixo. Adivinha quem foi? Eu fiquei preso na folhagem. Não conseguia descobrir o caminho para fora.

Ah, mas então ouvi uma voz que vinha de cima. "Ei, papai!" Olhei para cima para encontrar Sara, espreitando pela janela lá em cima. "Você está no caminho errado", explicou. "Volte e vire à direita."

Você acha que eu confiei nela? Eu não precisava confiar. Podia ter confiado em meus instintos, consultado outros turistas desorientados, sentado e ficado amuado perguntando por que Deus havia permitido que isso acontecesse comigo. Mas quer saber o que eu fiz? Eu dei ouvidos. Seu ponto de vista era melhor que o meu. Ela estava em vantagem. Estava acima do labirinto. Ela conseguia ver o que eu não conseguia.

Você não acha que a mesma coisa acontece com Deus? "Deus está nas alturas do céu" (Jó 22:12). "Sua glória está acima dos céus" (Salmo 113:4). Acha que ele não pode ver o que nos está desorientando? Não acha que ele quer que saiamos e voltemos para casa? Então devemos fazer o que Jesus fez.

Confie nas Escrituras. Duvide de suas dúvidas antes de duvidar de suas crenças. Jesus disse a Satanás: "Nem só de pão viverá o homem, mas de toda palavra que procede da boca de Deus" (Mateus 4:4). O verbo "proceder" é, literalmente, "vazar para fora". O tempo empregado sugere que Deus está constante e agressivamente se comunicando com o mundo por meio de sua Palavra. Deus ainda está falando!

Espera um pouco. Seu tempo no deserto irá passar. O de Jesus passou. "Então o diabo o deixou, e anjos vieram e o serviram" (Mateus 4:11).

Até que os anjos venham até você:

Confie em sua palavra. Assim como eu no labirinto, você precisa de uma voz que o conduza para fora.

Confie em sua obra. Assim como David no quartel, você precisa de um amigo que assuma seu lugar.

E agradeça a Deus porque tem alguém que o fará.

17

Deus está por dentro

Lugares tempestuosos
Mateus 14:22,33

Em uma manhã de setembro em 2001, Frank Silecchia amarrou os cadarços de suas botas, pegou seu capacete e saiu de sua casa em Nova Jersey. Como um operário de construção, ele ganhava a vida erguendo coisas. Mas, como voluntário para trabalhar nos destroços do World Trade Center, ele só queria entender o sentido de tudo aquilo. Esperava encontrar um corpo vivo. Não encontrou. Encontrou quarenta e sete mortos.

Em meio à carnificina, no entanto, ele se deparou com um símbolo — uma cruz de viga de aço de sete metros de altura. O colapso da primeira torre sobre o edifício seis criou um câmara em meio aos debris. Na câmara, em meio ao nascer do sol poeirento, Frank enxergou a cruz.

Nenhum guindaste a havia içado, nenhum cimento a segurava. A viga de aço pendia independentemente de auxílio humano. Erguia-se sozinha, mas não solitária. Outras cruzes jaziam aleatoriamente à base da grande cruz. Diferentes tamanhos, ângulos diversos, mas todas elas cruzes.

Vários dias depois, os engenheiros se deram conta de que as vigas da grande cruz tinham vindo de dois prédios diferentes. Quando as vigas se chocaram, fundiram-se em uma só peça, forjada pelo fogo.[1]

Um símbolo em meio aos destroços. Uma cruz na crise. "Onde está Deus nisso tudo?", nos perguntamos. A descoberta nos deu a ousadia de ter esperança: "bem no meio de tudo isso."

Podemos dizer o mesmo sobre nossas tragédias? Quando a ambulância leva nossos filhos ou a doença carrega consigo nossos amigos, quando a situação econômica engole nossa aposentadoria e o traidor parte nosso coração — poderíamos, como fez Frank, encontrar Cristo na crise? A presença dos problemas não nos surpreende. A ausência de Deus, no entanto, nos desmonta.

> Podemos lidar com a ambulância se dentro dela estiver Deus.
> Podemos suportar o CTI se lá dentro estiver Deus.
> Podemos encarar a casa vazia se lá dentro estiver Deus.

E ele está?

Mateus gostaria de responder essa questão para você. As paredes caindo à sua volta eram feitas de água. Nenhum telhado caíra, mas parecia que o próprio céu caía.

Uma tempestade no mar da Galileia é semelhante a um lutador de sumô pulando de barriga em uma piscina infantil. O vale do norte agia como um funil de vento, comprimindo e canalizando pancadas de chuva para o lago. Ondas de três metros eram comuns.

O relato começa quando a noite cai. Jesus está no monte, em oração, e os discípulos estão no barco, amedrontados. O barco "já estava no meio do lago. E as ondas batiam com força" (Mateus 14:24). Quando Cristo viria em seu socorro? Às três da madrugada! (v. 25). Se a "noite" começa às seis horas e Cristo só veio às três da madrugada, os discípulos ficaram por conta própria na tempestade por nove horas! Nove horas tempestuosas! Tempo suficiente para que mais de um discípulo perguntasse: "onde está Jesus? Ele sabe que estamos no barco. Pelo amor de Deus, foi ideia dele. Deus estará por perto?"

E, em meio à tempestade, vem uma voz inconfundível: "Estou aqui".

Mantos molhados, cabelos encharcados. Ondas lambendo a cintura e a chuva batendo contra seu rosto. Jesus fala a todos de uma só vez. "Coragem! Eu sou! Não tenham medo!" (v. 27).[2]

Essa escolha de palavras parece estranha, não? Se você está acostumado a ler a história, se habituou a um modo diferente de falar. Alguma coisa como "Tende bom ânimo, sou eu, não temais" (Almeida Atualizada) ou "Tranquilizai-vos, sou eu. Não tenhais medo!" (Católica), ou "Coragem, aqui estou" (paráfrase).

Uma tradução literal desse anúncio resultaria em "Coragem! Eu sou! Não se amedrontem". Os tradutores cismam com essa palavra por razões óbvias. "Eu sou" parece truncado. "Eu estou aqui" ou "Sou eu" parecem mais completas. Mas o que Jesus gritou naquela tempestade foi simplesmente um magistral "Eu sou!"

Essas palavras ressoam como os canhões disparados na *Overture 1812* de Tchaikovsky. Nós já as escutamos anteriormente.

Falando de uma sarça ardente para um Moisés ajoelhado, Jesus declarou "EU SOU O QUE SOU" (Êxodo 3:14).

Desafiando seus inimigos para provarem em contrário, Jesus declarou "que antes de Abraão nascer, Eu Sou!" (João 8:58).

Determinado a dizê-lo de modo claro e pelo tempo necessário para ter nossa atenção, Cristo repetiu o refrão:

— "Eu sou o pão da vida" (João 6:48).
— "Eu sou a luz do mundo" (João 8:12).

— "Eu sou a porta; quem entra por mim será salvo" (João 10:9).
— "Sou Filho de Deus" (João 10:36).
— "Eu sou a ressurreição e a vida" (João 11:25).
— "Eu sou o caminho, a verdade e a vida" (João 14:6).
— "Eu sou a videira verdadeira" (João 15:1).

Jesus no tempo presente. Ele nunca diz "eu fui". Nós dizemos. Dizemos porque "nós fomos". Fomos mais jovens, mais ágeis, mais bonitos. Somos dados a ser pessoas do tempo passado, nós ficamos pensando sobre o passado. Deus não. De força irredutível, ele nunca precisa dizer "eu fui". O céu não tem espelhos retrovisores.

Ou bolas de cristal. Nosso Deus "eu sou" nunca aspira, "um dia eu serei".

De novo, nós aspiramos. Os sonhos são nossos combustíveis, na busca pelos horizontes. "Um dia eu serei..." Deus não. A água pode ser mais molhada? Deus pode ser mais Deus? Não. Ele não muda. Ele é o Deus "eu sou". "Jesus Cristo é o mesmo, ontem, hoje e para sempre" (Hebreus 13:8).

Do centro da tempestade, o Jesus irredutível grita "eu sou". Erguendo-se nos escombros do World Trade Center. Audaz diante das ondas da Galileia. CTI, campo de batalha, cadeia, cela na prisão, ou maternidade — qualquer que seja sua tempestade, "eu sou".

A construção dessa passagem ecoa esse argumento. A narrativa é feita em dois atos, cada um com seis versículos. O primeiro ato, nos versículos 22 a 27, focaliza na caminhada de poder de Jesus. O segundo ato, versículos 28 a 33, está centrada na caminhada de fé de Pedro.

No primeiro ato, Cristo vem montado sobre as ondas e declara as palavras cinzeladas em cada coração sábio: "Coragem! Eu sou! Não tenham medo!" No segundo ato, um discípulo desesperado agarra-se à fé e — por um breve momento — faz o que Cristo faz. Caminha sobre a água. Então tira os olhos de Cristo e faz o que nós fazemos. Ele cai.

Dois atos. Cada um com seis versículos. Cada estrofe de seis versículos contém noventa palavras em grego. Bem no meio dos dois atos, as duas estrofes de seis versículos, e as 180 palavras está esta declaração de duas palavras: "Eu sou".

Mateus, que era bom com números, reforça seu argumento. Ele vem em camadas, como um sanduíche.

Graficamente: Jesus — encharcado, mas forte.

Linguisticamente: Jesus — o Deus "eu sou".

Matematicamente: seja nas palavras seja no mundo real, Jesus está sempre no meio de tudo.

Deus vai para o meio das coisas! Mares Vermelhos. Peixes grandes. Covas de leões e fornalhas. Negócios em bancarrota e celas de prisões. Desertos da Judeia, casamentos, funerais e tempestades na Galileia. Procure e encontrará o que todos, de Moisés a Marta, descobriram. Deus está no meio de nossas tempestades.

Isso inclui a sua tempestade.

Durante os dias em que este livro foi escrito, uma jovem morreu em nossa cidade. Ela era recém-casada, e mãe de um bebê de dezoito meses. Sua vida parecia ter sido abreviada. As prateleiras onde guardamos nossa ajuda e esperança são inúteis nessas ocasiões. Mas, no funeral, o sacerdote que a oficializava compartilhou uma lembrança no seu discurso que nos deu ambas as coisas.

Por muitos anos a jovem havia vivido e trabalhado em Nova York. Por conta de sua amizade longeva, ele mantinha contato constante com ela por e-mail. Uma vez, tarde da noite, ele recebeu uma mensagem indicativa da presença persistente de Deus.

Ela havia esquecido de saltar em sua estação de metrô. Quando se deu conta do erro, não sabia o que fazer. Ela orou para ter segurança e algum sinal da presença de Deus. Não era hora para uma moça jovem e atraente estar passando sozinha por uma vizinhança perigosa. Naquela hora, um mendigo, que não tinha as pernas, prostrou-se à sua frente. *Deus? Está por perto?* Ela orou. A resposta veio por meio de uma canção. O homem puxou do bolso uma gaita e tocou "Seja minha visão", o hino favorito de sua mãe.

A canção foi o suficiente para convencê-la. Cristo estava lá, no meio daquilo tudo.

Frank Silecchia o viu no meio dos destroços. Mateus o viu no meio das ondas. E você? Procure bem. Ele está aí. Bem no meio disso tudo.

18

Esperança ou especulação?

O mais alto dos lugares
Lucas 9:28-36

Feira estadual do Texas, 1963. Um lugar importante e um evento e tanto para um menino de oito anos com olhos arregalados, acostumado a passar fins de semana sem graça. As luzes e as atrações do parque me faziam citar a frase de Dorothy, de *O mágico de Oz*. "Totó, não estamos mais no Kansas."

O festival era uma barulheira animada. Montanhas-russas, rodas-gigantes, maçãs do amor, algodão doce. E, acima de tudo, as vozes.

"Suba aqui e tente sua sorte!"

"Por aqui, meu jovem. Três tiros por um dólar."

"Ei, rapazinho. Ganhe um urso para sua mamãe."

Ulisses e seus homens nunca ouviram sereias mais doces. Será que eu entro no jogo de cartas do sujeito magrelo daquela barraca ou atendo ao chamado da dona gorda e tento acertar as garrafas com a argola? O cara com a cartola e o fraque me desafia a explorar a casa mal-assombrada. "Venha. O que foi? Está com medo?"

Uma feira de gente anunciando. Cada uma na sua vez. Meu pai já havia me alertado sobre eles. Ele conhecia seus artifícios. Não consigo me lembrar das instruções exatas, mas lembro-me do impacto. Fiquei colado a ele, minha mãozinha perdida em sua mão. E, a cada vez que ouvia as vozes, olhava seu rosto. Ele me dava tanta proteção quanto permissão. Um rolar de olhos significa "não pare, continue". Ele sentia de longe o cheiro dos embusteiros. Um sorriso e um aceno de cabeça significavam "vá em frente, não há perigo aqui".

Meu pai me ajudava a lidar com as vozes.

Você mesmo não está precisando de uma ajudinha? Quando se trata de fé, bem que você precisa. Já se sentiu como se estivesse atravessando uma feira da espiritualidade?

A Torá o encaminha para Moisés. O Alcorão o leva a Maomé. Os budistas o convidam à meditação; os espíritas, a levitar. Uma vidente quer ler sua mão. Os tele-evangelistas querem seu dinheiro. Um vizinho consulta o horóscopo. Outro lê o tarô. O agnóstico acredita que ninguém pode acreditar. O hedonista nem se preocupa em saber. Os ateístas acreditam que não há o que saber.

"Suba aqui. Experimente minha feitiçaria."

"Ei, você aí! Interessado em canais New Wage?"

"O cidadão não gostaria de tentar a cientologia?"

O que você faz? Para onde deve correr o sujeito? Para Meca? Salt Lake City (capital dos mórmons)? Roma? Terapia? Aromaterapia?

Ah, as vozes.

"Pai, ajudai-me! Por favor, modulai uma das vozes e relegai as outras." Se essa é a sua oração, então Lucas 9 é o seu capítulo — o dia em que Deus isolou a voz com mais autoridade na história e declarou: "Ouçam-no."

É a primeira cena do ato final da vida terrena de Cristo. Jesus levou consigo três seguidores para um retiro de oração.

"Tomou consigo a Pedro, João e Tiago e subiu a um monte para orar. Enquanto orava, a aparência de seu rosto se transformou, e suas roupas ficaram alvas e resplandecentes como o brilho de um relâmpago" (Lucas 9:28,29).

Ah, o que não daríamos para ter ouvido aquela oração! Que palavras moveram Jesus a ponto de seu rosto ser alterado? Será que ele viu seu lar? Ouviu seu lar?

Quando estava no segundo ano da faculdade, consegui um trabalho de verão longe de casa. Longe demais. Minha coragem derretia-se a cada quilômetro que eu deixava para trás. Uma noite estava com tanta saudade que achei que meus ossos iriam derreter. Mas meus pais estavam viajando, e os celulares ainda não tinham sido inventados. Ainda que soubesse que ninguém atenderia o telefone, eu liguei para casa. Não uma ou duas vezes. Mas meia dúzia de vezes. O ruído familiar do telefone de casa me trouxe conforto.

Talvez Jesus precisasse de conforto. Sabendo que sua estrada de volta ao lar passaria pelo Calvário, ele faz uma ligação. Deus responde rapidamente. "Surgiram dois homens que começaram a conversar com Jesus. Eram Moisés e Elias" (v. 30).

Os dois eram ótimos em reconfortar. Moisés entendia de jornadas difíceis. Elias podia se identificar com uma saída fora do comum. Então Jesus, Moisés e Elias "falavam sobre a partida de Jesus, que estava para se cumprir em Jerusalém" (v. 31).

Pedro, Tiago e João, nesse ínterim, tiravam um bom cochilo.

> Pedro e seus companheiros estavam dormindo profundamente, mas acordaram e viram a glória de Jesus e os dois homens que estavam com ele. Quando esses dois homens estavam se afastando de Jesus, Pedro disse: "Mestre, como é bom estarmos aqui! Vamos armar três barracas: uma para o senhor, outra para Moisés e outra para Elias." Pedro não sabia o que estava dizendo (vv. 32,33, NTLH).

O que faríamos sem Pedro? O cara não fazia ideia do que estava dizendo, mas isso não o impediu de dizer. Não tinha nem uma pista sobre o que estava fazendo, mas oferecia para fazê-lo assim mesmo. Esta era sua ideia: três monumentos para três heróis. Um grande plano? Não no livro de Deus. Pedro vai falando e Deus vai limpando a garganta — arrã.

> Ele ainda estava falando, quando apareceu uma nuvem e os cobriu. Os discípulos ficaram com medo quando a nuvem desceu sobre eles. E da nuvem veio uma voz, que disse: "Este é o meu Filho, o meu escolhido. Escutem o que ele diz!" (vv. 34,35).

O erro de Pedro não foi ter falado, mas ter dito uma heresia. Três monumentos iriam colocar no mesmo nível Moisés e Elias com Jesus. Ninguém divide o pódio com Jesus. Deus chega tão abrupto quanto uma chuva de verão e deixa Pedro encabulado. "Este é o meu Filho". Não "um filho" como se ele estivesse misturado com o resto das pessoas. Não "meu melhor filho", como se ele fosse o primeiro da classe da raça humana. Jesus é, de acordo com Deus, "meu Filho, o meu escolhido". Absolutamente único e diferente de todos os outros.[1] Assim:
"Escutem o que ele diz!"

Nos Evangelhos Sinópticos (Mateus, Marcos e Lucas), Deus pronuncia-se somente duas vezes — no batismo e de novo, aqui, na Transfiguração. Em ambos os casos, ele começa com "Este é meu Filho querido". Mas no rio ele conclui com esta afirmação: "que me dá muita alegria!" (Mateus 3:17, NTLH). Na colina ele conclui esclarecendo: "Escutem o que ele diz!"

Ele não ordena "Escutem o que *eles* dizem". Bem poderia ter feito. Será que um grupo mais austero jamais foi formado?

Moisés, que deu as Leis. Elias, o profeta. Pedro, o pregador do Pentecostess. Tiago, o apóstolo. João, o autor do evangelho e revelador do Apocalipse. Os autores do começo e do fim da Bíblia (pense em uma conferência de autores!). Deus poderia ter dito: "Estes são meus servos preciosos, escutem o que eles dizem."

Mas ele não o fez. Enquanto Moisés e Elias reconfortam Cristo, Deus coroa Cristo. "Escutem o que ele diz..." A voz definitiva no universo é Jesus. Ele não é uma voz entre as outras; ele é A Voz sobre todas as vozes.

Aqui temos de cruzar uma barreira. Muitas pessoas recuam quando chegam nessa distinção. Chamar Jesus de divino, divinal, inspirado por Deus. Chamá-lo de "uma voz", mas não de "a voz"; um bom homem, mas não um homem-Deus.

Mas *bom homem* é precisamente a terminologia que não podemos empregar. Um bom homem não diria o que ele disse ou sustentaria o que ele sustentou. Um mentiroso, sim, faria. Ou um Deus. Qualquer coisa entre esses extremos significa um dilema. Ninguém acreditava mais que era igual a Deus do que o próprio Jesus.

Seus discípulos o adoravam, e ele nunca lhes disse para parar. Pedro, Tomé e Maria chamaram-no de "Filho de Deus", e ele não lhes disse que estavam errados.

No seu julgamento, seus acusadores o questionaram: "Então, você é o Filho de Deus?", e ele respondeu a eles: "Sim, eu sou" (Lucas 22:70).

Seu propósito, em suas palavras, era "dar a sua vida em resgate por muitos" (Mateus 20:28).

De acordo com Jesus, ninguém poderia matá-lo. Falando sobre a própria vida, ele disse: "Eu a dou por minha espontânea vontade. Tenho autoridade para dá-la e para retomá-la" (João 10:18).

Poderia ter falado com mais empáfia do que falou João 14:9? "Quem me vê, vê o Pai."

E poderia haver palavras mais blasfemas que as de João 8:58? "Eu lhes afirmo que antes de Abraão nascer, Eu Sou!" Essa declaração enfureceu os judeus que "apanharam pedras para apedrejá-lo" (v. 59). Por quê? Porque somente Deus é o grande "Eu Sou". E, ao chamar a si mesmo de "Eu Sou", Cristo estava se igualando com Deus. "Eu sou o caminho, a verdade e a vida. Ninguém vem ao Pai, a não ser por mim" (João 14:6).

Não se engane, Jesus via a si mesmo como Deus. Ele nos deixa com duas opções. Aceitá-lo como Deus, ou rejeitá-lo como megalomaníaco. Não há terceira alternativa.

Sim, é claro. Podemos tentar inventar uma alternativa. Vamos supor que eu faça a mesma coisa. Suponha que você se aproxime de mim ao lado da estrada. Eu posso ir para o norte ou para o sul. Você me pergunta para que lado estou indo. Minha resposta? "Estou indo para o Norsul."

Achando que talvez não tenha ouvido direito, você me pede para repetir.

"Estou indo para o Norsul. Não consigo decidir entre o Norte e o Sul, portanto estou indo para ambos. Estou indo para o Norsul."

"Você não pode fazer isso", você responde. "Tem de escolher um dos dois."

"Tudo bem", eu aquiesço. "Vou para o Surte."

"Surte não é uma opção!", você insiste. "Ou é Norte ou é Sul. Uma coisa ou outra. Para a direita ou para a esquerda. Quando se trata de estrada, você tem de escolher um lado!"

Quando se trata de Cristo, você tem de fazer o mesmo. Pode chamá-lo de louco, ou pode coroá-lo rei. Desprezá-lo como fraude ou declará-lo Deus. Afastar-se dele ou inclinar-se perante ele, mas não brinque com ele. Não o chame de grande homem. Não o coloque em listas com gente decente. Não o coloque na mesma panelinha de Moisés, Elias, Buda, Joseph Smith, Maomé ou Confúcio. Ele não lhe deu essa opção. Ele ou é Deus ou é sem Deus. Desceu dos Céus ou foi enviado do inferno. É esperança ou especulação. Mas não é nada entre essas duas opções.

S. Lewis resumiu isso classicamente quando escreveu:

> Um homem que fosse meramente um homem e dissesse o tipo de coisa que Jesus dizia não seria um grande mestre moral. Seria ou um maluco — do tipo que diz ser um ovo cozido — ou seria o próprio demônio dos infernos... Você pode trancá-lo no manicômio, você pode cuspir nele e matá-lo com um demônio, ou você pode cair a seus pés e chamá-lo de Senhor e Deus. Mas não venha com a bobagem condescendente de ele ser um grande mestre humano. Ele não nos deixou escolha. Não era essa a sua intenção.[2]

Jesus não será diminuído. Além do mais, você quer que ele seja? Você não precisa de uma voz distinta no seu mundo ruidoso? É claro que precisa. Não ande pela feira espiritual sozinho. Mantenha sua mão na mão dele e seus olhos nele, e quando ele falar,

"Escute o que ele diz."

19

Abandonado!

Lugares esquecidos por Deus
Mateus 27:45,46

Abandono. Palavra que nos assombra.

Na periferia da cidadezinha uma casa velha e decrépita está de pé. O mato é mais alto do que o portão. As janelas estão fechadas com tábuas e a portinhola bate ao sabor do vento. No portão da frente, uma placa foi pregada: *Abandonada*. Ninguém quer esse lugar. Até os mais pobres e desesperados passam longe dela.

Um assistente social aparece na porta de um orfanato. Em sua mão está a mãozinha suja de uma menina de seis anos. Enquanto os adultos conversam, os olhos arregalados da criança exploram o escritório do diretor. Ela escuta o assistente sussurrando. "Abandonada. Ela foi abandonada."

Uma mulher velha em um asilo para idosos se balança sozinha no seu quarto no dia de Natal. Sem cartões, sem telefonemas, sem hinos.

Uma jovem esposa descobre e-mails românticos enviados por seu marido para outra mulher.

Depois de trinta anos na linha de produção, um trabalhador encontra uma carta de demissão em seu escaninho.

Abandonado pela família.

Abandonado por um esposo.

Abandonado pela empresa.

Mas nada se compara a ser abandonado por Deus.

> E houve trevas sobre toda a Terra, do meio-dia às três horas da tarde. Por volta das três horas da tarde, Jesus bradou em alta voz: "Eloí, Eloí, lamá sabactâni?", que significa: "Meu Deus! Meu Deus! Por que me abandonaste?" (Mateus 27:45-46).

Quando Cristo gritou essas palavras, estava pendurado na cruz já fazia seis horas. Naquele dia, por volta das nove da manhã, ele havia sido arrastado para a fissura na rocha do Lugar da Caveira. Um soldado apertou com o joelho o braço de Cristo e cravou o prego através da mão dele, e então na outra mão, e então em ambos os pés. Quando os soldados ergueram a cruz, eles, sem perceber, colocaram Cristo na mesma posição em que viria a morrer — entre o homem e Deus.

Um sacerdote em seu altar.

Os ruídos se superpõem na colina: fariseus debochando, espadas retinindo e homens agonizantes gemendo. Jesus pouco fala. Quando o faz, os diamantes cintilam sobre veludo. Ele dá a seus assassinos a misericórdia e à sua mãe um filho. Responde à oração de um ladrão e pede uma bebida a um soldado.

Então, no meio do dia, a escuridão cai como uma cortina. "E houve trevas sobre toda a Terra, do meio-dia às três horas da tarde" (v. 45).

Essa é uma escuridão sobrenatural. Não é uma reunião casual de nuvens ou um breve eclipse do sol. Esse é um cobertor de escuridão de três horas. Os mercadores de Jerusalém alumiaram velas. Soldados acenderam seus archotes. Os pais se preocuparam. As pessoas de todo o lugar ficaram perguntando. De onde vem essa noite no meio do dia? Até no distante Egito o historiador Dionísio nota o céu negro e escreve: "Ou o Deus da natureza está sofrendo, ou a máquina no mundo está caindo em ruínas."[1]

É lógico que o céu esteja escuro. As pessoas estão matando a Luz do Mundo.

O universo se lamenta. Deus disse que seria assim. "Naquele dia [...] farei o sol se pôr ao meio-dia e em plena luz do dia escurecerei a Terra. [...] Transformarei as suas festas em velório e todos os seus cânticos em lamentação. Farei que todos vocês vistam roupas de luto e rapem a cabeça. Farei daquele dia um dia de luto por um filho único, e o fim dele, como um dia de amargura" (Amós 8:9,10).

O céu chora. Um cordeiro brame. Lembra-se da hora do brado? "Por volta das três horas da tarde, Jesus bradou em alta voz." Três da tarde, a hora do sacrifício no templo. A menos de dois quilômetros a leste, um sacerdote em vestes finas encaminha um cordeiro para o matadouro, sem perceber que seu trabalho é inútil. O Céu não está olhando para o cordeiro do homem, mas para o "Cordeiro de Deus, que tira o pecado do mundo" (João 1:29).

Um Céu em prantos. Um cordeiro bramindo. Mas, acima de tudo, um Salvador que grita. "Jesus bradou em alta voz" (Mateus 27:46). Observe as palavras ríspidas. Outros escritores empregaram a palavra grega para "alta voz" para descrever um rugido, um urro.[2] Os soldados não têm de colocar a mão em concha sobre o ouvido para conseguir escutá-lo. O cordeiro ruge. "O sol e a lua escurecerão, e as estrelas já não brilharão." O Senhor rugirá de Sião e de Jerusalém levantará a sua voz; a Terra e o céu tremerão. Mas o Senhor será um refúgio para o seu povo, uma fortaleza para Israel" (Joel 3:15,16).

Cristo ergue sua cabeça pesada e as pálpebras em direção ao céu e gasta a energia que lhe resta berrando para as estrelas, "'Eloí, Eloí, lamá sabactâni?', que significa: "Meu Deus! Meu Deus! Por que me abandonaste?" (Mateus 27:46).

Nós nos perguntaríamos a mesma coisa? Por que ele? Porque abandonar seu Filho? Abandonar os assassinos. Desistir dos malfeitores. Dar às costas aos pervertidos e aos vendilhões da dor? Abandonar esses, e não ele. Por que abandonar a única alma sem pecado no mundo?

Ah, aí temos a palavra mais dura de todas. *Abandono.* A casa que ninguém quer. A criança filha de ninguém. O pai de quem ninguém se lembra. O Salvador que ninguém compreende. Ele corta a escuridão com a pergunta mais solitária do Céu: "Meu Deus! Meu Deus! Por que me abandonaste?"

Paulo usou a mesma expressão quando clamou a Timóteo: "Procure vir logo ao meu encontro, pois Demas, amando este mundo, *abandonou*-me e foi para Tessalônica. Crescente foi para a Galácia, e Tito, para a Dalmácia" (2 Timóteo 4:9,10, grifo do autor).

Paulo procura por Demas, mas não o encontra. Fora abandonado.

Jesus procura por Deus, mas não consegue encontrá-lo. Abandonado.

Espere um pouco. Davi não nos diz "nunca vi o justo abandonado" (Salmos 37:25)? Será que Davi se equivocou? Será que Jesus não era justo? Nem uma coisa nem outra. Nessa hora, Jesus é tudo menos justo. Mas seus erros não são dele. "Ele mesmo levou em seu corpo os nossos pecados sobre o madeiro, para que morrêssemos para os pecados e vivêssemos para a justiça" (1 Pedro 2:24).

Cristo levou em seu corpo os nossos pecados...

Se me dão licença, vou ser bem mais específico aqui. Posso falar sobre pecado? Preciso recordá-lo de que nosso passado é entrelaçado de rompantes de raiva, maculado por noites de paixão sem Deus e manchado por avareza irresoluta?

Vamos supor que o seu passado se torne conhecido por todos. Você não gritaria aos céus pedindo misericórdia? E você não sentiria uma pequena fração — só uma fração — daquilo que Cristo sentiu na cruz? O desagrado gélido de um Deus que odeia o pecado?

Quando eu tinha dezesseis anos, passei por uma experiência com meu pai. Nós éramos muito íntimos, melhores amigos. Nunca temi por seu abuso ou por sua ausência. Próximo ao topo da minha lista de bênçãos está o nome de Jack Lucado. Próximo ao topo da minha lista de piores dias da minha vida está o dia em que eu o desapontei.

Meu pai tinha uma lei inflexível. Nada de álcool. Ele havia visto o álcool corroer a vida de muitos de seus irmãos. Por ele, o álcool jamais tocaria a família. O álcool não era permitido a ninguém.

Você já deve ter adivinhado. Eu achei que podia ser mais esperto que ele. Uma festa no fim de semana me deixou cambaleando até o banheiro à meia-noite e vomitando uma barriga cheia de cerveja. Meu pai apareceu na porta — com muita raiva. Jogou um pano de chão na minha direção e afastou-se.

Na manhã seguinte, eu acordei com enxaqueca e a horrível certeza de ter ferido o coração de meu pai. Caminhando para a cozinha (até hoje consigo recriar mentalmente esses passos), o vi sentado à mesa. Seu jornal estava aberto, mas ele não o estava lendo. Sua caneca estava cheia de café, mas ele não estava bebendo. Ele me encarou, olhos arregalados de dor, os lábios contritos com descrença. Mais do que qualquer outra ocasião na minha vida, senti o desagrado de um pai amoroso.

Fiquei arrasado. De que outra maneira poderia sobreviver ao desgosto de meu pai?

Jesus, sofrendo um milhão de vezes mais, perguntou-se a mesma coisa.

Cristo levou em seu corpo os nossos pecados...

Já viu Jesus na cruz? Quem está pendurado lá é um fofoqueiro. Viu Jesus? Um picareta. Um mentiroso. Intolerante. Viu o carpinteiro pendurado? Bate na mulher. Viciado em pornografia e assassino. Está vendo o menino de Belém? Pode chamá-lo por seus outros nomes — Adolf Hitler, Osama bin Laden, Idi Amin Dada.

Espera lá, Max. Não me venha misturando Cristo com esse bando de malfeitores. Não ouse colocar seu nome na mesma frase com o nome dos outros!

Eu não fiz isso. *Ele* o fez. E fez mais. Mais do que colocar seu nome na mesma frase, ele colocou-se no lugar deles. E no nosso.

Com as mãos cravadas abertas, ele convidou a Deus: "trata-me como trataria a eles." E Deus o fez. Em uma ação que partiu o coração de seu Pai, ainda que honrasse a santidade do Céu, um julgamento para purgar o pecado fluiu sobre o impoluto Filho dos tempos.

E o Céu deu à Terra sua mais preciosa dádiva. O Cordeiro de Deus que tirou o pecado do mundo.

"Meu Deus! Meu Deus! Por que me abandonaste?" Porque é que Cristo berrou essas palavras?

Para que você não tenha de fazê-lo.

20

O golpe de misericórdia de Cristo

Lugares consagrados por Deus
Lucas 22:37

Um homem e sua cadela estão no mesmo carro. A cachorra uiva, um daqueles uivos de meia-noite à lua cheia, alto e estridente. O homem apela, prometendo um banquete de biscoitos caninos se a cadela calar a boca. Afinal de contas, é só um lava-jato.

Nunca ocorrera a ele — arrã, a mim — que a lavagem do carro iria assustar minha cachorra. Mas assustou. Se eu me colocar em seu lugar, posso ver o porquê. Uma máquina imensa e ruidosa apressa-se em nossa direção, batendo nas janelas com água, socando a porta com esponjas. *Encolham-se, estamos sendo atacados.*

"Não precisa entrar em pânico. O lava-jato foi ideia minha. "Já fiz isso antes, é para o nosso bem." Já tentou explicar o que é um lava-jato para um cachorro? No dicionário dos cachorros não constam as palavras "esponja" ou "cera protetora". Minhas palavras caíam no vazio. Nada ajudou. Ela fez o que os cachorros sabem fazer: uivou e ganiu.

Na verdade, ela fez o que nós fazemos. Por acaso não uivamos e ganimos? Não nos lava-jatos, talvez, mas nas estadas em hospitais ou nas transferências de emprego. Basta a economia ir para baixo ou as crianças mudarem-se, que vamos uivar bastante. E, quando nosso Mestre nos explica o que está acontecendo, reagimos como se ele estivesse falando javanês. Não compreendemos uma palavra do que diz.

Você vive em meio a furacões?

As maiores bênçãos de Deus muitas vezes surgem disfarçadas de desastres. Para quem não acredita, basta ascender à colina do Calvário.

A opinião coletiva em Jerusalém naquela sexta-feira era esta: Jesus estava acabado. A que outra conclusão eles poderiam chegar? Os líderes religiosos tinham voltado as costas para ele. Roma havia se recusado a afiançá-lo. Seus seguidores haviam metido o rabo entre as pernas e se dispersaram. Ele foi pregado na cruz e deixado para morrer, o que ele fez. Silenciaram seus lábios, selaram seu sepulcro e, como diria qualquer sacerdote que vale o preço de um filactério, Jesus era história. Três anos de poder e promessas estão decompondo-se em uma sepultura emprestada. Procurem no Céu da crucificação por um raio de esperança, e não vão encontrar.

Essa é a visão dos discípulos, a opinião dos amigos e a visão geral dos inimigos. Vamos chamar essa visão de ponto-de-vista-do-cachorro-sentado-no-banco-do-passageiro.

O Mestre, que se senta à frente do volante, pensa de outra maneira. Deus não se surpreende. Tudo está saindo como planejado. Mesmo na — ou, especialmente na — morte, Cristo é ainda o rei, o rei sobre a própria crucificação.

Quer uma prova?

Durante suas últimas vinte e quatro horas na Terra, qual foi a palavra que Jesus mais proferiu? Procure nos versículos abaixo a frase que se repete.

- "O Filho do homem vai [morrer], como está escrito a seu respeito" (Mateus 26:24).
- "Ainda esta noite todos vocês me abandonarão", disse-

lhes Jesus. "Pois está escrito: 'Ferirei o pastor, e as ovelhas do rebanho serão dispersas'" (Mateus 26:31).
- Ele poderia ter convocado mil anjos para ajudá-lo, mas não o fez, por esse motivo. "Como então se cumpririam as Escrituras que dizem que as coisas deveriam acontecer desta forma?" (Mateus 26:54).
- No lugar de colocar a culpa nos soldados que o prenderam, ele explicou que eram apenas atores no drama que eles não haviam escrito. "Mas tudo isso aconteceu para que se cumprissem as Escrituras dos profetas" (Mateus 26:56).
- "Mas isto acontece para que se cumpra as Escrituras: 'Aquele que partilhava do meu pão voltou-se contra mim'" (João 13:18).
- Para seu pai celestial, ele orou "eu os protegi e os guardei pelo nome que me deste. Nenhum deles se perdeu, a não ser aquele que estava destinado à perdição, para que se cumprisse as Escrituras" (João 17:12).
- Ele lhes disse: "E ele foi contado com os transgressores; e eu lhes digo que isto precisa cumprir-se em mim. Sim, o que está escrito a meu respeito está para se cumprir" (Lucas 22:37).

Você detectou? "Está escrito." "Amor", "sacrifício" e "devoção" que poderíamos esperar. Mas as Escrituras lideram a lista e revelam esta verdade: Jesus orquestrou seus últimos dias para cumprir as profecias do Antigo Testamento. Como se estivesse seguindo uma lista mental, Jesus os confirmou item a item.

O que as Escrituras importavam para Cristo? E o que nos importa o quanto elas lhe importavam? Porque ele ama o Tomé que existe entre nós. Enquanto os outros se ajoelham e veneram, você coça seu queixo e se pergunta se poderia ver mais provas. "Como é que eu posso me certificar de que a morte de Cristo é mais que a morte de um homem?"

Comece pela profecia cumprida. Mais previsões do Antigo Testamento tornaram-se realidade durante a crucificação do que em qualquer outro dia. Vinte e nove profecias diferentes, a mais jovem delas já contando com quinhentos anos, foram cumpridas no dia da morte de Cristo.

Quais seriam as probabilidades de tal constelação? A resposta assombra os estudiosos da estatística. O matemático Peter Stoner estima a probabilidade de somente oito profecias serem cumpridas ao longo de uma vida desta forma:

> Cubra o estado do Texas com meio metro de moedas de dólar. Em uma das moedas, deixe uma marca. Qual é a probabilidade de uma pessoa, na primeira tentativa, encontrar o dólar marcado? É a mesma probabilidade das oitos profecias serem cumpridas durante a vida de um homem.[1]

Mas Cristo cumpriu vinte e nove profecias em um único dia! Quer alguns exemplos?

> Mas ele foi transpassado por causa das nossas transgressões, foi esmagado por causa de nossas iniquidades; o castigo que nos trouxe paz estava sobre ele, e pelas suas feridas fomos curados (Isaías 53:5).

> Perfuraram minhas mãos e meus pés (Salmo 22:16).

> Dividiram as minhas roupas entre si, e tiraram sortes pelas minhas vestes (Salmo 22:18).

"Naquele dia", declara o SENHOR, o Soberano: "Farei o sol se pôr ao meio-dia e em plena luz do dia escurecerei a terra" (Amós 8:9).[2]

Não chame Jesus de vítima das circunstâncias. Chame-o de orquestrador das circunstâncias. Ele engendrou as ações de seus inimigos para cumprir a profecia. E comandou a língua de seus inimigos para declarar a verdade.

Cristo raramente falou naquela sexta-feira. Não tinha de falar. Seus acusadores seguiram as marcações da peça. Lembra-se do sinal pregado na cruz?

> Pilatos mandou preparar uma placa e pregá-la na cruz, com a seguinte inscrição: Jesus Nazareno, O Rei dos Judeus. Muitos dos judeus leram a placa, pois o lugar em que Jesus foi crucificado ficava próximo da cidade, e a placa estava escrita em aramaico, latim e grego (João 19:19,20).

Uma verdade em três línguas. Obrigado, Pilatos, por ter financiado a primeira campanha publicitária da cruz e apresentar Jesus como o Rei dos judeus.

E obrigado aos fariseus pelo sermão:

> Salvou os outros, mas não é capaz de salvar a si mesmo! (Mateus 27:42).

Poderia haver palavras mais precisas? Jesus não poderia, ao mesmo tempo, salvar os outros e salvar-se. Então salvou os outros.

O prêmio para o porta-voz mais insuspeito vai para o alto sacerdote. Caifás disse: "Melhor que morra um homem pelo povo, e que não pereça toda a nação" (João 11:50).

Será Caifás um crente? Ele certamente soa como um. De fato, foi *melhor* para Cristo morrer do que deixar-nos todos perecer. O Céu não poderia concordar mais. Dá até para pensar que o Céu fez que ele dissesse aquilo. Se for nisso que você está pensando, você está certo.

> [Caifás] não disse isso de si mesmo, mas, sendo o sumo sacerdote naquele ano, profetizou que Jesus morreria pela nação judaica, e não somente por aquela nação, mas também pelos filhos de Deus que estão espalhados, para reuni-los em um povo (v. 51,52).

O que está acontecendo aqui? Caifás pregando por Jesus? Os fariseus explicando a cruz? Pilatos pintando cartazes evangelistas? Da tragédia emerge o triunfo. Cada desastre mostra-se uma vitória.

Esse desenrolar dos eventos faz-me lembrar da mula no poço. Uma mula tropeçou e caiu em uma cisterna. Os aldeões concluíram que o custo para retirá-la de lá era maior do que o valor do animal. Então decidiram enterrá-la. Começaram a jogar terra para dentro. A mula tinha outra ideia em mente. À medida que a terra caía sobre suas costas, ela a sacudia e a socava no chão. Cada cavada da pá a erguia um pouco mais. Ela alcançou a boca do poço e saiu de lá. O que as pessoas achavam que seria sua morte revelou-se sua salvação.

Os homens que mataram Jesus agiram da mesma maneira. Suas ações elevaram Jesus. Tudo — o bom e o mau, o decente e o maligno — trabalhou em equipe para o golpe de misericórdia de Jesus.

Devemos nos surpreender com isso? Ele não havia prometido que era isso que aconteceria? "Sabemos que Deus age em todas as coisas para o bem daqueles que o amam, dos que foram chamados de acordo com o seu propósito" (Romanos 8:28).

Todas as coisas? Todas. Discípulos acovardados. Um Judas traidor. Um flanco aberto. Fariseus pusilânimes. Um alto sacerdote de coração de pedra. Em tudo isso, Deus obrava. Eu o desafio a encontrar um elemento da cruz que ele não empregasse ou reciclasse por simbolismo. Vamos lá, tente. Acho que você vai descobrir o que eu descobri — cada momento sombrio foi, na verdade, um momento dourado para a causa de Jesus.

Ele não pode fazer o mesmo para você? Trocar sua sexta-feira por um domingo?

Alguns de vocês terão dúvidas. Como Deus poderia empregar o câncer, a morte ou o divórcio? Simples.

Ele é mais esperto do que nós. Ele está para você como eu estava para a pequena Amy de quatro anos. Encontrei-a em uma livraria. Perguntou-me se eu autografaria seu livro infantil. Quando perguntei seu nome, ela me observou enquanto comecei a escrever, "Para Amy..."

Ela me interrompeu nesse momento. Com os olhos arregalados e a boca escancarada, perguntou-me: "Como é que você sabe como é que se soletra meu nome?"

Ela ficou assustada. Você não está. Você sabe a diferença entre o conhecimento de uma criancinha e o de um adulto. Consegue imaginar a diferença entre a sabedoria humana e a sabedoria de Deus? O que para nós parece impossível, para ele é fácil como soletrar "Amy". "Assim como os Céus são mais altos do que a Terra, também os meus caminhos são mais altos do que os seus caminhos e os meus pensamentos mais altos do que os seus pensamentos" (Isaías 55:9).

Continuei a conversar com Molly no lava-jato. Ela começou a uivar e a ganir menos. Não acho que ela compreenda a maquinaria. Ela está só aprendendo a confiar em seu mestre.

Talvez nós aprenderemos também.

21

A louca afirmação de Cristo

Lugares incríveis
Mateus 28:1-10

Qual foi a declaração mais selvagem que você já ouviu? Estou perguntando isso porque estou para ouvir uma delas. A qualquer minuto um agente da companhia aérea vai pegar seu microfone e... espere um pouco... ele vai falar agora. Posso até vê-lo. O cara finge que é normal. Tem uma aparência normal. Parece o tipo de sujeito que joga futebol e ama seus filhos. Mas o que ele está a ponto de dizer o qualifica a uma camisa de força. "Senhoras e senhores, a aeronave está pronta. Voo 806 para Chicago estará partindo em poucos momentos. Por favor, atentem para nosso chamado de embarque..."

Pense sobre o que ele acaba de dizer. Está nos convidando a subir a mais de dez quilômetros no céu em um avião que é do tamanho de uma casinha e disparar a uma velocidade que é três vezes maior que o mais rápido dos carros da Fórmula 1.

Você consegue acreditar no que ele nos pede? É claro que consegue. Mas, e se você nunca tivesse escutado tal convite? Você não ficaria chocado? Você não se sentiria como se sentiu a mulher que ouviu essa declaração três dias após Cristo ter morrido na cruz? "Ele não está aqui; ressuscitou, como tinha dito" (Mateus 28:6).

Eis o que aconteceu:

> Depois do sábado, tendo começado o primeiro dia da semana, Maria Madalena e a outra Maria foram ver o sepulcro. E eis que sobreveio um grande terremoto, pois um anjo do Senhor desceu do céu e, chegando ao sepulcro, rolou a pedra da entrada e assentou-se sobre ela. Sua aparência era como um relâmpago, e suas vestes eram brancas como a neve. Os guardas tremeram de medo e ficaram como mortos (Mateus 28:1-4).

Como as condições tinham mudado desde sexta-feira. A crucificação fora marcada por uma escuridão súbita, anjos silenciosos e soldados que zombavam. No sepulcro vazio, os soldados estão mudos, um anjo fala e a luz emerge como uma erupção do Vesúvio. Aquele que diziam morto está vivo, e, os soldados, que estão vivos, parecem estar mortos. As mulheres podem ver que algo aconteceu. O que elas não podem ver é que Alguém se ergueu. Assim, os anjos informam: "Não tenham medo!... Sei que vocês estão procurando por Jesus, que foi crucificado. Ele não está aqui! Foi erguido dos mortos, como havia dito. Venham, vejam onde seu corpo jazia (vv. 5,6, paráfrase).

Palavras assim nos deixam confusos. Podem fazer que você ou saia do aeroporto ou entre no avião. Se forem falsas, o corpo de Jesus jaz como o de um cadáver qualquer, decompondo-se em uma sepultura emprestada. Se forem falsas, então a notícia não é nada boa. Um sepulcro ocupado no domingo dessantifica a sexta-feira santa.

No entanto, se forem verdadeiras — se a rocha foi movida e o Senhor está vivo — então vamos nos aprontar para a festa.

Deus tirou a sepultura da tomada, e você e eu não temos nada a temer. A morte foi desligada. Suba a bordo, e deixe um piloto que você nunca viu e uma força que você não compreende levá-lo para casa.

Podemos confiar nessa proclamação? O convite dos anjos é "Venham e vejam...".

A sepultura vazia nunca resiste a uma investigação honesta. Uma lobotomia não é requisito para ser discípulo. Seguir Cristo demanda fé, mas não fé cega. "Venham e vejam", os anjos convidam? Devemos aceitar?

Dê uma olhada na sepultura vazia. Você sabe que os oponentes de Cristo nunca contestaram o fato de ela estar vazia? Nenhum fariseu ou soldado romano jamais levou um contingente de volta ao local do enterro e declarou: "O anjo estava errado. O corpo está aqui. Tudo não passou de boato."

Eles poderiam ter contestado se tivessem podido. Em poucas semanas os discípulos ocuparam cada esquina de Jerusalém, anunciando um Cristo que se erguera. Se os inimigos da igreja quisessem calá-los, bastava exibir um corpo frio e sem vida. Bastava mostrar o cadáver, e o Cristianismo morreria onde nasceu. Mas não tinham cadáver nenhum para exibir.

Isso ajuda a explicar o revival de Jerusalém. Quando os apóstolos argumentaram sobre o sepulcro vazio, as pessoas se voltaram para os fariseus, esperando uma refutação. Mas eles não tinham nenhuma para dar. Como A. M. Fairbairn afirmou há muito tempo, "o silêncio dos judeus é tão eloquente quanto o discurso dos cristãos".[1]

E por falar em cristãos, lembra-se do medo de seus seguidores na crucificação? Eles fugiram. Dispersaram-se como gatos em um canil. Pedro maldisse Jesus na fogueira. Os discípulos a caminho de Emaús lastimaram-se por Jesus. Após a crucificação, os discípulos ficaram "reunidos a portas trancadas, por medo dos [líderes] judeus" (João 20:19).

Esses caras amarelaram tanto que a última ceia parecia um milharal.

Mas passemos adiante, quarenta dias. Traidores em bancarrota tornaram-se uma força de fúria para modificar vidas. Pedro está pregando no exato local onde Jesus foi preso. Os seguidores de Cristo desafiam os inimigos de Cristo. Quanto mais se bate neles, mais eles veneram. Coloquem-nos na prisão e eles começam um ministério na cadeia. Tão ousados após a ressurreição quanto eram covardes antes dela.

Explicação:

Ganância? Eles não faziam dinheiro algum.

Poder? Eles davam todo o crédito a Cristo.

Popularidade? A maioria foi morta por suas crenças.

Só resta uma explicação — um Cristo ressurreto e seu Espírito Santo. A coragem desses homens e mulheres foi forjada no fogo do sepulcro vazio. Os discípulos não tinham sonhado com a ressurreição. A ressurreição deixou os discípulos em brasa. Você duvida do sepulcro vazio? Basta olhar para os discípulos.

Enquanto você pesquisa, considere as alternativas. Se Cristo não foi erguido, se seu corpo deteriorou-se até virar pó, o que é que nos resta?

Que tal o misticismo oriental? Vamos fazer uma viagem no tempo e no espaço e chegar à Índia. Corre o ano 490 antes de Cristo, e Buda está disposto a nos ver. Eis nossa questão: "Você pode derrotar a morte?" Ele nem abre os olhos, apenas sacode a cabeça. "Você está iludido, meu filho. Procure a iluminação."

É o que fazemos. Por virtude ou porque temos uma imaginação vigorosa, viajamos para a Grécia para um encontro com o pai dos filósofos, Sócrates. Ele nos oferece uma taça de cicuta, mas nós a dispensamos, explicando que temos apenas duas perguntas a fazer: "Você tem poder sobre a sepultura? Você é o Filho de Zeus?" Ele coça a careca e nos chama de *raca* (que significa "cabeça oca", em grego).

Impassíveis, avançamos mil anos e localizamos a antiga vila de Meca. Um Maomé barbudo senta-se entre seus seguidores. Por detrás da multidão, gritamos: "Estamos procurando pela encarnação de Alá. Você é Alá encarnado?" Ele levanta-se irritado e pede que sejamos banidos por tal heresia.

Mas nós fugimos. E voltamos no tempo para Jerusalém. Subimos as escadas de uma casa simples, onde o Rei dos Judeus está reunido. A sala está entupida com seus discípulos entusiasmados. Enquanto procuramos onde sentar, olhamos no rosto radiante do Cristo ressurreto. O amor em seus olhos é tão real quanto as feridas em seu corpo.

Se fizermos as perguntas a ele — "Você ergueu-se dos mortos? Você é o Filho de Deus?" — já sabemos o que ele irá responder.

Jesus poderia muito bem personalizar as palavras que deu ao anjo. "Fui erguido dos mortos, como havia dito. Venha e veja o lugar em que meu corpo estava."

Que declaração! E, assim como os passageiros no aeroporto, prestes a embarcar no avião, temos de escolher como reagir. Ou embarcamos e confiamos no piloto, ou tentamos voltar para casa do nosso jeito.

Eu sei qual é minha escolha.

Conclusão

Ainda na vizinhança

Após a tragédia de 11 de setembro de 2001, um grupo de líderes religiosos foi convidado pela Casa Branca para vir a Washington e orar com o presidente. Como meu nome foi parar nessa lista, não faço ideia. Mas eu estava muito feliz em poder atender ao convite. Então éramos cerca de trinta de nós, sentados em um salão.

O grupo era bem enturmado e bem conhecido. Vários cardeais católicos. O presidente da Igreja Mórmon e um líder da fé B'hai. Porta-vozes respeitados de judeus e muçulmanos. Bem eclético, eclesiasticamente falando. Se Cristo tivesse decidido voltar naquele momento, uma porção de perguntas poderia ser respondida por quem restasse de pé no salão.

Você pode estar se perguntando se eu me senti meio fora do lugar. Eu não lidero nenhuma denominação. A única ocasião em que eu visto um paramento é quando saio do chuveiro e entro em um roupão. Ninguém me chama de "O justo e mui reverendo Lucado". (Mas Denalyn me prometeu que ia me chamar assim um dia. Uma vez. Um dia. Antes que eu morra.)

Será que eu me senti como uma piaba em um mundo de baleias? Dificilmente. No meio deles, eu era especial. E quando chegou a minha vez de encontrar George W. Bush, eu tive de mencionar o porquê. Após informar meu nome, eu acrescentei: "E, Sr. Presidente, eu cresci na cidade de Andrews, Texas." Para aqueles entre vocês cuja assinatura da *National Geographic* expirou, Andrews fica a apenas meia hora de carro de Midland, a cidade natal do presidente. Assim que soube que éramos vizinhos, ele baixou a guarda e sorriu aquele sorriso torto e deixou o sotaque texano aflorar. "Puxa, eu conheço sua cidade. Já andei por aquelas ruas. Até já joguei no campo de golfe de vocês."

Senti-me um pouquinho mais alto. É bom saber que o homem mais poderoso do planeta já caminhou por suas ruas.

E quão melhor seria saber o mesmo a respeito de Deus.

Sim, ele está no Céu. Sim, ele governa o universo. Mas, sim, ele já caminhou por suas ruas. Ele ainda é o Salvador ao lado. Está próximo o bastante para tocar. Forte o suficiente para se confiar. Paulo funde essas duas verdades em uma promessa: "Foi Cristo Jesus que morreu; e mais, que ressuscitou e está à direita de Deus, e também intercede por nós" (Romanos 8:34).

Vê sua divindade? Ele está "à direita de Deus".

Estar "à direita" de Deus equivale à maior honra. Estaria Jesus acima de todos os poderes?

> Ele está *muito* acima de todo governo e autoridade, poder e domínio, e de todo nome que se possa mencionar, não apenas nesta era, mas também na que há de vir. Deus colocou todas as coisas debaixo de seus pés e o designou como cabeça de todas as coisas para a igreja, que é o seu corpo, a plenitude daquele que enche todas as coisas, em toda e qualquer circunstância (Efésios 1:21-23, grifo do autor).

Cristo está no comando do espetáculo. Agora mesmo. Uma folha acaba de pender de uma árvore nos Alpes. Foi Cristo quem a fez cair. Um bebê recém-nascido na Índia acaba de respirar pela primeira vez. Jesus mediu o sopro. A migração das belugas pelo oceano? Cristo dita seu itinerário. Ele é a imagem do Deus invisível, o primogênito de toda a criação, pois nele foram criadas todas as coisas nos Céus e na Terra, as visíveis e as invisíveis, sejam tronos ou soberanias, poderes ou autoridades; todas as coisas foram criadas por ele e para ele (Colossenses 1:15,16).

Que lista fenomenal! Nos Céus e na Terra. Visíveis e invisíveis. Tronos, soberanias, poderes ou autoridades. Não há coisa, lugar, pessoa que não esteja contemplado. O espinho de um ouriço-do-mar. O pelo nas orelhas do elefante. O furacão que destrói a costa, a chuva que alimenta o deserto, a primeira batida do coração de uma criança, o último sopro do ancião — tudo pode ser rastreado até a mão de Cristo, o primogênito de toda a criação.

Primogênito no dizer de Paulo não tem nada a ver com a ordem de nascimento. *Primogênito* refere-se à categoria. Como diz uma tradução: "Ele tem um *status* acima de tudo que já foi feito" (v. 15, paráfrase). Tudo? Tente achar uma exceção. A sogra de Pedro está com febre, Jesus a reprova. Um imposto tem de ser pago, Jesus o quita ao enviar primeiramente uma moeda, e em seguida um anzol de pescador na boca de um peixe. Quando cinco mil estômagos roncam, Jesus faz do cesto de um menino um bufê infindo. Jesus transpira autoridade. Ao bater de suas pálpebras, a natureza salta. Ninguém discute quando, ao fim de sua vida terrena, o Deus-homem declara "foi-me dada toda a autoridade no Céu e na Terra" (Mateus 28:18).

A tempestade sai da sua câmara, e dos ventos vem o frio.
[Deus] espalha os seus relâmpagos.
Ele as faz girar, circulando sobre a superfície de toda a Terra, para fazerem tudo o que ele lhes ordenar.

Ele traz as nuvens, ora para castigar os homens, ora para regar a sua terra e mostrar o seu amor.
[...] Pare e reflita nas maravilhas de Deus.

(Jó 37:9, 11-14).

Pare e reflita, de verdade.

- O Telescópio Espacial Hubble envia de volta imagens de infravermelho de tênues galáxias que estão talvez a doze bilhões de anos-luz de distância (são vinte bilhões vezes seis trilhões de quilômetros).[1]
- Os astrônomos arriscam um palpite de que o número de estrelas no universo é igual ao número de grãos de areia de todas as praias do mundo.[2] A estrela Eta Carinae comparada a nosso Sol é como o Maracanã aceso comparado a um isqueiro. Cinco milhões de vezes mais brilhante![3]
- A estrela Betelgeuse tem um diâmetro de 160 milhões de quilômetros, o que é mais do que a órbita que a Terra faz em torno do Sol.[4]

Para que tanta imensidão? Para que tanto espaço vasto, imensurado, inexplorado, "não utilizado"? Para que você e eu, recém-assombrados, sejamos estimulados por esta afirmação: "Posso todas as coisas em Cristo que me fortalece" (Filipenses 4:13, Almeida Atualizada).

O Cristo das galáxias é o Cristo das suas segundas-feiras. O fazedor de estrelas gerencia seu itinerário. Relaxe. Você tem um amigo lá em cima. Você acha que o filho do Arnold Schwazenegger se preocupa com tampas de potes de picles? Você acha que o filho de Phil Knight, fundador da Nike, fica se preocupando com cadarços partidos? Se a filha do Bil Gates não conseguir ligar seu computador, ela entra em pânico?

Não. Nem deveria. O comandante do universo conhece seu nome. Ele já caminhou por suas ruas.

Mesmo no Céu, Jesus permanece sendo nosso Salvador ao lado. Mesmo no Céu, ele ainda é "Cristo Jesus... que morreu". O Rei do universo comanda os cometas com uma língua humana e dirige o trânsito celestial com uma mão humana. Ainda humano. Ainda divino. Vivendo para sempre nessas duas naturezas. Como declara Peter Lewis:

> Vá ao coração espiritual do universo criado, e você encontrará um homem! Vá ao lugar onde os anjos veneram quem nunca caiu, e você encontrará um homem! Vá até o âmago da glória manifesta do Deus invisível, e você encontrará um homem: verdadeira natureza humana, alguém da sua raça, mediando a glória de Deus![5]

Espera um pouco, Max. Você está dizendo que Jesus ainda está em seu corpo de carne? Os anjos veneram aquele que o da Galileia tocaram? Sim, é isso mesmo. Jesus apareceu a seus seguidores em um corpo de carne e osso. "Um espírito não tem carne nem ossos, como vocês estão vendo que eu tenho" (Lucas 24:39). Seu corpo ressurreto era um corpo de verdade, real o suficiente para caminhar na estrada para Emaús, para ser confundido com um jardineiro, para engolir peixes no desjejum.

Ao mesmo tempo, o corpo real de Jesus estava *realmente* diferente. Os discípulos em Emaús não o reconheceram, e os muros não o impediram. Marcos tentou descrever sua nova aparência e contentou-se com "[Jesus] apareceu em outra forma" (Marcos 16:12). Ainda que seu corpo fosse o mesmo, estava melhor, estava glorificado. Era um corpo celestial.

E não consigo achar a passagem onde se diz que ele o descartou. Ele ascendeu nesse corpo. "Este mesmo Jesus, que dentre vocês foi elevado ao Céu, voltará da mesma forma como o viram subir" (Atos 1:11).

O Deus-homem ainda é nascido. As mãos que abençoaram o pão do menino ainda abençoam as orações de milhões. E a boca que ordena aos anjos é a boca que beijou crianças.

Você sabe o que isso significa? A maior força do cosmo o compreende e intercede por você. "Temos um Advogado para com o Pai, Jesus Cristo, o justo" (1 João 2:1, Almeida Atualizada).

Sir John Clarke dedicou muitos anos à tradução da Bíblia no Congo Belga (antigo Zaire, atual República Democrática do Congo). Ele encontrou muitas dificuldades para traduzir a palavra "advogado". Por dois anos ele penou para encontrar uma tradução adequada. Suas pesquisas chegaram ao fim no dia em que ele visitou o rei do povo mulongo. Durante o tempo em que esteve com o rei, um assistente apareceu, recebeu instruções e partiu. O rei disse a Clarke que o assistente era seu Nsenga Mukwashi, o que não era um nome próprio, mas um título.

O rei explicou que o assistente representava o povo para o rei. Clarke imediatamente pediu permissão para observar o homem em seu trabalho. Foi à periferia da vila, onde o encontrou conversando com três mulheres. O esposo de uma delas havia morrido, e ela estava sendo despejada da cabana. Ela precisava de ajuda.

"Vou levá-la ao rei", Nsenga Mukwashi disse-lhe.

"Não faça isso", ela obtemperou. "Sou velha e tímida e não vou conseguir falar nada na presença dele."

"Não vai ser necessário que você fale nada", ele a tranquilizou. "Eu falarei por você."

E o fez. Sucintamente, com clareza e paixão. Clarke notou a raiva nos olhos do rei. O soberano ordenou a sua corte para cuidar da viúva e punir os culpados. A viúva encontrou justiça, e Clarke encontrou sua palavra — Nsenga Mukwashi.[6]

Você também tem um advogado junto ao Pai. Quando você estiver fraco, ele estará forte. Quando você for tímido, ele falará por você. Seu Salvador ao lado é seu Nsenga Mukwashi.

> Jesus compreende cada fraqueza nossa, porque ele sofreu tentação do mesmo modo que nós sofremos. Mas ele não pecou! Assim, sempre que estivermos em necessidade, devemos nos dirigir com coragem ao trono do nosso Deus misericordioso. Lá seremos tratados com gentileza infinda, e ele nos auxiliará (Hebreus 4:15,16, paráfrase).

Que pena, minha ilustração com a história do presidente não serve mais. Eu posso chamá-lo? Mesmo se eu tivesse seu número de telefone, ele estaria ocupado demais. E eu posso chamar Deus? A qualquer momento. Ele nunca está ocupado para me atender. Investido de atenção infatigável e devoção sem fim, ele escuta. O fato de nós não podermos imaginar como ele ouve um milhão de pedidos como se cada um fosse o único, não significa que ele não possa ou que não faça. Porque ele pode e faz.

E, entre os pedidos que ele escuta e preza, estão os seus. Porque mesmo que ele esteja no Céu, ele nunca deixou a vizinhança.

O Salvador mora ao lado

Guia de estudo

Preparado por Steve Halliday

Capítulo 1
Nosso Salvador mora ao lado

Percorrendo a vizinhança

1. *Quem és tu?*, perguntou, tão baixo que ninguém além de Deus pudesse ouvir. Tu acabas de despertar o morto! Não deverias tu estar envolto em luz ou rodeado de anjos ou sentado no trono mais poderoso que o de mil césares? Apesar disso, eis tu — vestindo roupas que eu mesmo usaria e rindo das anedotas que eu conto e comendo a comida que todos nós comemos. Acaso são coisas que aquele que derrota a morte faz? Quem então és tu?

    a. Quando você aprendeu sobre Jesus pela primeira vez, quem você achou que ele fosse? Quem você acha que ele é?

    b. O que é que mais o fascina sobre Jesus? Por quê?

2. Um Jesus que fosse somente Deus poderia criar-nos, mas não compreender-nos. Um Jesus que fosse só humano poderia amar-nos, mas não nos salvar. Mas, e um Jesus homem-Deus? Próximo o suficiente para que possamos tocá-lo. Forte o suficiente para que possamos depositar nele nossa confiança. Um Salvador ao lado.

    a. O que seria um Jesus somente Deus? E um Jesus somente humano?

    b. Por que um "Jesus somente humano" não teria poder para salvar-nos?

    c. Explique o que Max quis dizer por "um Salvador ao lado".

3. O tesouro de ser cristão é Cristo. Não é dinheiro no banco ou um carro na garagem ou um corpo mais esbelto ou uma autoimagem melhor [...] Cristo é a recompensa por ser cristão.

   a. De que maneira Cristo é a recompensa do cristão?

   b. De que modo nossa busca por Cristo afeta nossas ações cotidianas?

4. Será que seu mundo não está precisando de um pouco mais de música? Se for esse o caso, convide o barítono do Céu para se soltar. Ele pode parecer um cara comum, desses que moram ao lado, mas espere para ver do que ele é capaz. Quem sabe? Algumas canções que você cante com ele pode mudar a maneira como você canta. Para sempre.

   a. De que maneira seu mundo estaria precisando de "um pouco mais de música"?

   b. Como você poderia convidar "o barítono do Céu para se soltar" em sua vida?

   c. Como sua vida com Jesus modifica sua maneira de "cantar"?

Centro da cidade

1. Leia Lucas 7:11-17.

   a. O que aconteceu quando Jesus viu o cortejo fúnebre descrito nessa passagem? O que ele imediatamente fez (vv. 13-15)?

   b. Como as pessoas reagiram a esse incidente? A que conclusão elas chegaram (v. 16)?

c. De que forma esse evento demonstra a humanidade de Jesus? Como ele revelou sua divindade?

2. Leia Marcos 4:35-41.

    a. Como a tempestade ameaçou a confiança dos discípulos?

    b. Que resposta Jesus deu às perguntas dos discípulos (vv. 39,40)?

    c. Considerando tudo o que os discípulos viram Jesus fazer, por que você acha que eles perguntaram quem Jesus era?

3. Leia Colossenses 1:15-20; 2:9

    a. O que esses versículos nos ensinam sobre a identidade de Jesus? Por que isso é importante?

    b. De que maneira esses versículos descrevem um "salvador ao lado"? O que faz dele o Salvador? De que forma ele está ao lado?

BENFEITORIAS COMUNITÁRIAS

Para ajudá-lo a pensar em Jesus como seu "Salvador ao lado", dê uma caminhada pela vizinhança, orando para aqueles que vivem no seu entorno. Peça ao Senhor para fazer-se real a eles, para mostrar a eles sua verdadeira natureza — e pergunte a ele como você poderia auxiliar nesse processo.

Capítulo 2
A música-tema de Cristo

Percorrendo a vizinhança

1. Por que Jesus pendurou a roupa suja de sua família no varal da vizinhança? Porque em sua família também tem gente assim.

    a. Que tipo de "roupa suja" Jesus mencionou? Por que foi importante que ele assim fizesse?

    b. Com base no exemplo de Jesus, qual deve ser sua atitude em relação ao passado de sua família?

2. A frase "comigo também foi assim" poderia ser o refrão da música-tema de Cristo. Para os solitários, Jesus sussurra "comigo também foi assim". Para os desolados, Cristo balança a cabeça e suspira, "comigo também foi assim".

    a. Saber que Cristo passou pelas experiências de desapontamento e pelas durezas do ser humano o ajuda de alguma maneira? Explique.

    b. Em que área de sua vida é especialmente reconfortante saber que com Jesus "também foi assim"? Por quê?

3. Ele não tem vergonha de você. Tampouco está confuso por você. Suas ações não o assombram. Suas falhas e seus fracassos não o incomodam. Então siga com ele. Afinal de contas, você faz parte da família dele.

    a. Você realmente acredita que Cristo não tem vergonha de você? De que maneira aceitar ou rejeitar esse fato afetará suas ações, seu comportamento?

    b. As suas ações o assombram? Explique.

c. De que forma você faz parte da família de Jesus?

d. De que formas você vai a Jesus em tempos de dificuldades? O que você faz?

Centro da cidade

1. Leia Isaías 53:2,3.

    a. Por que você acha que Deus escolheu não fazer Cristo extraordinário na aparência?

    b. O que se quer dizer com Cristo nasceu como uma "raiz saída de uma terra seca"? O que é a "terra seca"? Como isso lhe permitiu identificar-se conosco?

2. Leia Marcos 3:20-22.

    a. Como a família de Jesus reagiu a seus primeiros ministérios (v. 21)? Por que você acha que eles reagiram assim?

    b. Como os professores da lei reagiram aos ensinamentos de Jesus (v. 22)? Por que você acha que eles reagiram assim?

    c. Como você reage aos ensinamentos de Jesus? Explique.

3. Leia Hebreus 2:10-18

    a. O que se quer dizer com Jesus se tornou perfeito pelo sofrimento (v. 10)?

    b. Por que Jesus não está envergonhado de seus irmãos (v. 11)?

    c. Por que o Filho do Deus tornou-se homem, de acordo com o versículo 14?

d. De que forma a experiência terrena de Jesus o qualifica a tornar-se "alto sacerdote" (v. 17)? De acordo com Hebreus 5:1-10, o que Jesus faz por nós em sua posição de alto sacerdote?

e. De que modo Jesus sofreu quando foi tentado? Como essa experiência dolorosa nos beneficia (v. 18)?

Benfeitorias comunitárias

Jesus esforçou-se para se identificar conosco. Como você se identifica com seus vizinhos? Se você ainda não conheceu seus vizinhos de porta, determine que irá fazer isso esta semana. Convide-os para um café ou para assistir a um filme. Comece o processo de passar a conhecê-los e identificar-se com suas batalhas e preocupações.

Capítulo 3
Amigo dos fracassos

Percorrendo a vizinhança

1. Jesus começa a sorrir e a sacudir a cabeça: "Mateus, Mateus, você acha por acaso que eu vim colocar você em quarentena? Seguir-me não significa dar adeus a seus amigos. É bem ao contrário. Eu quero conhecê-los."

   a. Por que algumas pessoas, como Mateus, acreditam que Jesus veio para pô-las em quarentena?

   b. Por que Jesus quer encontrar "fracassos" — e seus amigos?

2. O que poderia ser melhor? Pecadores e santos no mesmo ambiente, e ninguém tentando determinar quem é o quê.

a. O que há de bom em ter-se santos e pecadores no mesmo ambiente?

b. O que há de bom em não tentar descobrir quem pertence a cada grupo?

3. Que história! Mateus deixou de ser um pilantra e tornou-se um discípulo. Ele oferece uma festa que deixa a direita religiosa em polvorosa, mas deixa Cristo orgulhoso. Os mocinhos saem bem na fita, e os bandidos se mandam. Uma história e tanto. E o que fazemos com essa história?

    a. Por que você acha que a festa de Mateus deixou a direita religiosa em polvorosa?

    b. Que situações semelhantes você identifica hoje? Você geralmente responde a elas como o fez Cristo ou da maneira como fizeram os líderes religiosos? Por quê?

4. Não é preciso ser um solitário para seguir Jesus. Não precisa parar de gostar de seus amigos para segui-lo. Bem pelo contrário. Algumas apresentações viriam bem a calhar. Você sabe fazer churrasco?

    a. Você conhece alguém que acha que é preciso ser solitário para ser um bom discípulo?

    b. De que formas eficientes você apresentou seus amigos a Jesus?

    c. O que Max realmente quer dizer quando pergunta: "Você sabe fazer churrasco?" De que forma você responderia à pergunta?

Centro da cidade

1. Leia Mateus 9:9-13.

    a. Que problemas tinham os fariseus com Jesus participando da festa de Mateus (vv. 10-11)? Para quem eles voltaram suas perguntas? Por que não perguntaram diretamente a Jesus?

    b. Quem respondeu à pergunta dos fariseus? Que resposta foi dada (v. 12)?

    c. Quais eram os "saudáveis" nesse incidente? Quais eram os "doentes"? Todos sabiam de suas condições reais? Explique.

    d. O que Jesus disse aos fariseus para irem aprender (v. 13)? De que forma uma resposta correta poderia começar a conduzi-los para a saúde espiritual?

2. Leia Coríntios 1:26-31.

    a. Qual o argumento de Paulo no versículo 26? Qual seu significado?

    b. Como Paulo explica as ações de Deus (vv. 27-29)?

    c. Como Paulo descreve o papel de Jesus (v. 30)?

    d. A que conclusão Paulo chega (v. 31)?

3. Leia Apocalipse 5:9,10.

    a. De que forma esse cântico para Jesus descreve o povo em nome do qual ele morreu?

    b. O que Jesus fará para essas pessoas em nome de quem ele morreu? Qual é o destino delas?

Benfeitorias comunitárias

Para tornar-se amigo, você tem de fazer mais que aprender um nome; você tem de conhecer uma *pessoa*. Torne-se amigo de alguém na sua região, de preferência de uma pessoa mais velha que precisaria de sua ajuda e amizade. Demonstre sua oferta de amizade por meio da gentileza. Apare um gramado, passeie com um animal de estimação, ajude com algum conserto ou reparo, execute alguma tarefa doméstica ou apenas dê seu número de telefone ao vizinho dizendo: "Ligue se precisar de alguma coisa."

Capítulo 4
A mão que Deus gosta de segurar

Percorrendo a vizinhança

1. A vida volta a correr em suas veias. Suas faces enrubescem-se. A respiração passa de arfadas para longas baforadas. Uma represa parte-se e um rio volta a fluir. A mulher sente a força lhe penetrando. E Jesus? Jesus sente a força saindo.

    a. Tente colocar-se no lugar dessa mulher. Como você acha que se sentiria depois de um momento de cura? Surpreso? Em êxtase? Atônito? Temeroso? Explique.

    b. Por que você acha que Jesus queria saber quem o havia tocado? Por que isso foi tão importante para ele, especialmente sabendo-se que sua pergunta assustara a mulher?

2. "A história toda." Quanto tempo fazia que ninguém colocava a marcha em ponto morto, puxava o freio, desligava

a chave e prestava atenção em sua história? Mas quando essa mulher se volta, ele presta atenção. Com o bispo da cidade esperando, uma menina morrendo, uma multidão apressando-a, ele ainda encontra tempo para uma mulher à margem da sociedade.

    a. Por que você acha que Jesus quis ouvir toda a história da mulher? O que ele esperava conseguir?

    b. Na sua opinião, em que contar toda sua história iria beneficiar a mulher?

    c. Por que Jesus encontra tempo para as pessoas "à margem da sociedade"? Como você, em pessoa, já o viu fazer isso?

3. A doença roubou a força dela. O que roubou a sua? Os prejuízos financeiros? A bebida? As noites passadas nos braços de quem não devia? Longos dias nos empregos errados? Uma gravidez precoce? Mais filhos do que poderia ter? A mão dela é a sua mão? Então, crie coragem. Sua família pode desprezá-lo. A sociedade pode evitá-lo. Mas Cristo? Cristo quer tocá-lo.

    a. Responda à pergunta de Max. O que roubou sua força?

    b. De que forma isso o alienou das outras pessoas? E de Cristo?

4. A sua mão é a que ele gosta de segurar.

    a. Você acredita nessa declaração?

    b. De que forma Jesus "segura nossa mão" hoje em dia? Em que ocasiões em sua vida ele segurou sua mão?

CENTRO DA CIDADE

1. Leia Marcos 5:21-34.

    a. Que exigência o diretor da sinagoga fez (v. 23)? Como Jesus respondeu (v. 24)?

    b. Descreva o problema da mulher (vv. 25,26). Hoje em dia qual seria uma situação comparável à dela?

    c. De que forma o toque dela foi diferente do toque de todos os outros em torno de Jesus? Como seus discípulos reagiram a sua questão sobre quem o havia tocado (v. 31)?

    d. Como Jesus reagiu à confissão da mulher (v. 34)?

2. Leia Marcos 10:13-16

    a. Por que os discípulos repreendiam certas pessoas? Qual era sua objeção (v. 13)?

    b. Como Jesus reagiu à ação dos discípulos (v. 14)? Que razões ele deu para sua reação (vv. 14,15)?

    c. O que Jesus fez para enfatizar seu argumento (v. 16)?

3. Leia Isaías 42:1;5-7.

    a. Quem está falando nessa passagem? Como o profeta o descreve (v. 5)?

    b. O que Deus promete fazer a seu "servo" (v. 6)? Para quem ele está enviando seu servo?

    c. De que modo o toque de Deus afeta o servo, e de que modo o toque do servo nos afeta (v. 7)?

Benfeitorias comunitárias

Já se disse que as mãos de seus discípulos são as mãos de Cristo para o mundo. Como seu seguidor, você pode "tocar" as pessoas em seu mundo para ele. Faça uma pesquisa para ver onde uma "mãozinha" seria útil e necessária em sua vizinhança ou comunidade. Você pode ser voluntário no sopão dos sem-teto ou trabalhar como contador de histórias na escola comunitária. Descubra onde estão as oportunidades, e tire vantagem disso. Esteja nas mãos de Cristo.

Capítulo 5
Tente outra vez

Percorrendo a vizinhança

1. Há um olhar que quer exprimir "é tarde demais".

   a. Que tipo de olhar quer exprimir "é tarde demais"? Você já viu esse olhar? Explique.

   b. Você já usou esse olhar? Explique.

2. Você já sentiu o que Pedro sentiu. Você já esteve onde Pedro está. E agora Jesus está pedindo que você vá pescar. Ele sabe que suas redes estão vazias. Ele sabe que seu coração está exausto. Ele sabe que não há nada que você gostaria mais do que poder dar as costas à bagunça e encerrar por hoje. Mas ele clama: "Não é tarde demais para tentar de novo."

   a. O que está fazendo com que você se sinta exausto neste exato momento?

   b. De que maneira Jesus está pedindo que você vá pescar?

3. Descobrir onde estão os tesouros é fácil para aquele que os escondeu. Encontrar peixes é fácil para o Deus que os criou. Para Jesus, o mar da Galileia é como um aquário barato no armário da cozinha.

   a. Se Jesus podia localizar peixes difíceis de encontrar no mar da Galileia, que tipo de peixe difícil de encontrar você gostaria que ele localizasse no seu próprio mar?

   b. De que modos sua vida se modificaria se você tivesse a consciência permanente de que Jesus foi (e é) Deus encarnado?

4. Ao contrário do que você talvez tenha aprendido, Jesus não limita seu recrutamento àqueles com coração valente. Os abatidos e os esgotados são seu alvo principal, e sabe-se que ele costumava subir em barcos, bares e bordéis para dizer-lhes "não é tarde demais para recomeçar".

   a. De que maneira nós achamos algumas vezes que Jesus de fato limita seu recrutamento àqueles com corações valentes? Por que acreditamos nesse mito?

   b. Quais são as pessoas que você conhece que já recomeçaram do zero? Que distâncias Jesus percorreu para alcançá-los? Como eles reagiram?

   c. Jesus alguma vez já lhe disse "não é tarde demais para recomeçar"? Explique.

Centro da cidade

1. Leia Lucas 5:1-11.

   a. Que pedido Jesus fez a Simão Pedro no versículo 3? Por que ele fez tal pedido?

b. Que pedido Jesus fez a Simão no versículo 4?

c. Como Simão respondeu ao pedido de Jesus (v. 5)? O que ele acabou por fazer?

d. O que aconteceu quando Simão atendeu ao pedido de Jesus (vv. 6,7)?

e. Por que Simão reagiu dessa maneira ao milagre (vv. 8-10)?

f. Qual foi a resposta de Jesus à reação de Simão (v. 10)?

g. Por que você acha que Simão e seus parceiros largaram tudo para seguir Jesus?

2. Leia Romanos 7:14-25.

a. Como Paulo descreve a si mesmo no versículo 14? Por que isso é relevante?

b. Que problema pessoal é descrito por Paulo nos versos 15-23? Você pode se identificar com esse problema? Explique.

c. Como esse problema fez o apóstolo se sentir (v. 24)? Você consegue se identificar com ele? Explique.

d. Que perguntas Paulo fez no versículo 24? Que resposta ele dá no versículo 25? O que isso tudo tem a ver com "tentar outra vez?"

Benfeitorias comunitárias

A maioria de nós tem algum vizinho, amigo ou parente com quem tivemos um desacordo ou conflito. Talvez você já tenha, sem sucesso, tentado aparar as arestas. Por que não tentar de novo? O que o está impedindo de fazer uma nova tentativa?

Antes de abordar tal pessoa, comprometa-se a passar pelo menos uma hora em oração sobre sua atitude, seus temores e seus objetivos. Depois... tente de novo!

Capítulo 6
Terapia do cuspe

Percorrendo a vizinhança

1. Pense em um papel desgraçado. Escolhido para sofrer. Alguns cantam pela glória de Deus. Outros ensinam pela glória de Deus. Quem quer ser cego pela glória de Deus? O que é mais difícil, a deficiência ou saber que foi ideia de Deus?

    a. Você gostaria de cantar pela glória de Deus? Ensinar pela glória de Deus? Ser cego pela glória de Deus? Explique.

    b. O que você acha que seria mais difícil? Ser cego ou descobrir que sua deficiência foi ideia de Deus? Explique.

    c. Como você explicaria essa história para uma pessoa de fora da fé? Como você explicaria que Deus permitiu que alguém tivesse nascido cego — e tivesse vivido nessa condição por muitos anos — para que os outros pudessem ver sua glória quando ele o curou?

2. Quem estava realmente cego naquele dia? Os vizinhos não viram o homem, eles viram uma novidade. Os chefes da igreja não viram o homem, eles viram uma tecnicalidade. Os pais não viram seu filho, eles viram um constrangimento social. Por fim, ninguém o viu.

    a. Que pessoas em nossa cultura ninguém "vê"?

b. Você já se sentiu invisível em relação aos outros? Explique.

c. Em que exemplos você pode pensar das vezes em que ignoramos diariamente os milagres que ocorrem em nosso entorno e, no lugar, nos concentramos nos aspectos negativos?

3. Não parece que algumas pessoas receberam uma carga muito mais pesada do que outras? Se for assim, Jesus sabe. Ele sabe como elas se sentem, e sabe onde elas estão.

a. Responda à pergunta de Max.

b. Quem, na sua vida, parece que recebeu uma carga muito mais pesada do que os outros? Descreva a situação dessa pessoa. Você já viu pessoas reagindo de modos diferentes às grandes dificuldades? Qual foi o resultado em cada caso?

c. Por que você acha que Deus permite que a carga seja distribuída de forma desigual entre as pessoas?

4. Sinto muito por seu vestido manchado de graxa. E suas flores — elas vivem caindo para o lado, não é? Quem é que tem uma resposta para as doenças, decepções e partes sombrias da vida? Eu não. Mas sabemos disso. Tudo muda quando você olha para seu noivo.

a. Como você responde às doenças, decepções e partes sombrias da vida?

b. O que muda quando você olha para seu noivo?

Centro da cidade

1. Leia João 9:1-41

    a. Que questão deu início a todo esse incidente (v. 2)? De que formas essa questão ainda vale para o dia de hoje?

    b. De que forma os vizinhos do homem reagiram à sua cura (vv. 8-10)? Por que você acha que eles reagiram assim?

    c. Como os fariseus reagiram à cura do homem (vv. 13-16)? Por que eles reagiram assim?

    d. Como os pais do homem reagiram à cura de seu filho (vv. 18-23)? Por que eles reagiram assim?

    e. De que maneira o homem demonstrou coragem na segunda vez em que foi interpelado pelos líderes religiosos (vv. 24-33)? Como os líderes reagiram à sua coragem (v. 34)?

    f. Como Jesus reagiu ao tratamento duro dado ao homem (vv. 35-37)? Como reagiu o homem, quando soube da verdade (v. 38)?

2. Leia Coríntios 4:16-18.

    a. Como podemos evitar de nos deixar abater, de acordo com o versículo 16?

    b. Como o versículo 17 nos ajuda a continuar evoluindo espiritualmente, apesar do sofrimento inexplicado?

    c. Que estratégia de vida é desenvolvida no versículo 18? Como você pode fixar seus olhos no que não vê? Quais são as formas práticas de fazer isso?

BENFEITORIAS COMUNITÁRIAS

Quem na sua vida precisa de encorajamento agora mesmo? O que você poderia fazer para iluminar um dia sombrio? Não deixe mais um dia passar sem fazer o possível para trazer um pouco de alegria à vida dessa pessoa, seja por uma ligação telefônica, uma carta escrita com consideração, uma visita pessoal ou algo mais apropriado.

Capítulo 7
O QUE JESUS DIZ NOS FUNERAIS

PERCORRENDO A VIZINHANÇA

1. Todos os funerais têm suas Martas. Dispersas entre os que estão tristes está a que está desesperada. "Ajude-me a entender isso, Jesus."

    a. Você já foi uma "Marta" em algum funeral? Se sim, descreva como se sentiu.

    b. Qual foi a morte que mais o assombrou? Por quê?

2. Jesus chora. Ele chora com elas. Ele chora por elas. Ele chora com você. Ele chora por você.

    a. Como você se sente sabendo que Jesus chora pela tragédia humana?

    b. O que quer dizer "Jesus chora conosco"?

    c. O que quer dizer "Jesus chora por nós"?

3. A dor da perda não significa que você não confia; apenas significa que você não pode suportar mais um dia sem Jacó ou Lázaro em sua vida.

a. Por que você acha algumas vezes que a dor da perda realmente significa que não estamos confiando?

b. Há ocasiões em que a dor da perda descamba para fracasso em confiar? Explique.

4. Na verdade, se Jesus não tivesse se dirigido a Lázaro pelo nome, os ocupantes de todos os túmulos do mundo poderiam ter se levantado também.

a. Você concorda com a declaração de Max? O que isso diz a respeito do poder de Cristo sobre os mortos? E sobre os vivos?

b. Há alguém de quem você tenha desistido, achando que ele nunca ouvirá a voz de Cristo? Como isso pode encorajá-lo agora?

Centro da cidade

1. Leia João 11:1-44.

a. Por que você acha que o versículo 4 parece contradizer o versículo 14? De que maneira essa contradição foi resolvida?

b. Por que Jesus permaneceu onde estava por três dias antes de ir visitar seu amigo Lázaro? Qual era a prioridade de Jesus?

c. Por que você acha que Jesus não disse às irmãs o que ele estava prestes a fazer? Por que ele manteve isso em segredo até fazê-lo?

d. De que maneira as irmãs demonstraram tanto confiança quanto dúvida nessa história? Como é que nós fazemos isso frequentemente?

2. Leia Romanos 14:8-10.

    a. Que tipo de povo pertence ao Senhor, de acordo com o versículo 8? Por que isso é significativo?

    b. Por que Cristo morreu e ergueu-se dos mortos, de acordo com o versículo 9?

    c. Como é que Paulo aplica essa verdade teológica em um problema prático no versículo 10?

3. Leia 1 Tessalonicenses 4:13-18.

    a. O que levou Paulo a escrever essa passagem, de acordo com o versículo 13?

    b. Como Paulo pretende encorajar seus amigos que perderam seus entes queridos (vv. 14-17)?

    c. O que Paulo quer que seus amigos façam com as instruções que ele lhes deu (v. 18)? Por que ele fez tal pedido?

BENFEITORIAS COMUNITÁRIAS

Leia uma obra brilhantemente escrita com compaixão sobre a dor da perda e o cuidado com os enlutados, como, por exemplo, "A grief observed" de C. S. Lewis ou "For those who hurt" de Charles Swindoll. Tenha por objetivo aprender alguma coisa nova sobre como você pode auxiliar no processo de luto, e então busque maneiras para colocar seu novo conhecimento em prática.

CAPÍTULO 8
BOTANDO PARA FORA O INFERNO

PERCORRENDO A VIZINHANÇA

1. Satanás não para quieto. Basta olhar para o homem selvagem para que se revele o plano de Satanás para você e para mim.

Dor autoinfligida. O endemoniado usava rochas. Somos mais sofisticados: usamos drogas, sexo, trabalho, violência e comida. (O inferno nos faz machucar a nós mesmos.)

    a. Como você viu as pessoas à sua volta sofrendo de dor autoinfligida?

    b. De que maneira o inferno fez com que você machucasse a si mesmo?

    c. Como você lida com essa dor autoinfligida?

2. Satanás pode nos perturbar, mas não pode nos derrotar. A cabeça da serpente foi esmagada.

    a. O que significa dizer que Satanás não nos pode derrotar?

    b. O que significa dizer que a cabeça da serpente foi esmagada?

    c. Como Satanás está perturbando sua família neste momento?

3. Uma palavra de Cristo, e os demônios foram se refugiar nos suínos, e o homem selvagem ficou "assentado, vestido e em perfeito juízo" (Marcos 5:15). Bastou uma ordem! Não precisou de uma sessão espírita. Nada de abracadabra. Nada de ladainhas ou de velas. O inferno é como um formigueiro ante o rolo compressor do Céu.

    a. Por que Cristo pôde controlar os demônios com um simples comando?

    b. O que significa para você esse poder de Cristo sobre o inferno?

4. A cobra naquela vala, e Lúcifer em seu buraco — ambos conheceram quem os derrotou. E, ainda assim, ambos continuam assustados depois da derrota. Por conta disso, ainda que estejamos confiantes, temos de nos manter *cautelosos*. Para um verme banguela, até que Satanás tem uma mordida feroz!

   a. De que modo você é "cauteloso" ao lidar com Satanás e suas forças?

   b. Descreva alguns eventos recentes da "mordida" de Satanás.

Centro da cidade

1. Leia Marcos 5:1-20.

   a. Por que você acha que o homem possuído pelo demônio saiu para encontrar Jesus quando o Senhor desembarcou (v. 2)? Por que ele simplesmente não foi embora?

   b. Que pedido o homem fez a Jesus (v. 7). Por que você acha que ele fez tal pedido?

   c. Por que você acha que os demônios quiseram entrar nos porcos (v. 12)?

   d. Como os aldeões responderam a essa demonstração de força divina (vv. 14-17)?

   e. O que o homem curado pediu a Jesus (v. 18)? Qual foi a resposta dada por Jesus (v. 19)? Por que você acha que ele deu essa resposta?

2. Leia 1 Pedro 5:8-10.

   a. Como essa passagem descreve o demônio (v. 8)? Por que essa é uma descrição fiel?

b. Como você pode "resistir" a Satanás (v. 9)?

c. Como você se estabiliza para que suporte "firme em sua fé"?

d. Por que é útil lembrar que você não está sozinho no sofrimento e na tentação (v. 9)?

e. Qual é a origem de toda essa força espiritual (v. 10)?

3. Leia Efésios 6:10-18.

   a. Por que o cristão precisa investir-se da armadura e das armas espirituais (vv. 11,12)?

   b. Que tipo de armadura é descrita por Paulo? Que tipo de armas?

   c. Faça uma lista dos itens arrolados aqui. Com qual deles você acha que tem um bom manejo? Qual precisa mais de sua atenção? Por quê?

BENFEITORIAS COMUNITÁRIAS

O assunto da batalha espiritual pode espantar muitas pessoas e revelar a excentricidade de outros, mas as Escrituras deixam claro que estamos enfrentando uma batalha espiritual bem real. Leia 2 Coríntios 10:3-5 e faça uma lista do que você precisa aprimorar nessa área. Compartilhe sua lista com um amigo de confiança e peça a ele para registrar seu avanço.

CAPÍTULO 9
NÃO É O QUE VOCÊ FAZ

PERCORRENDO A VIZINHANÇA

1. Deus não nos envia para escolas de adestramento para aprendermos novos hábitos, ele nos envia ao hospital para

recebermos um novo coração. Esqueça o treinamento; ele nos dá transplantes.

   a. Por que precisamos de novos corações em vez de obediência?

   b. Você tem um coração novo? Explique.

   c. Quais são os indicativos de um novo coração? Como isso contrasta com os atos de mera obediência?

2. Não há botão de "retroceder" no aparelho de DVD da vida... ou será que há? Nós não recomeçamos do zero... ou será que recomeçamos?

   a. Você já tentou apertar o botão de "retroceder" do DVD da sua vida? O que você gostaria de voltar e modificar? Já que você não pode mudar o passado, como você poderia usar isso para o bem?

   b. Como Deus nos permite "recomeçar"? Como isso se parece?

   c. O que significa para você ser "renascido"?

3. Os tropeços de um bebê não invalidam o ato de nascer. E os tropeços de um cristão não anulam seu nascimento espiritual.

   a. Por que algumas vezes acreditamos que os tropeços invalidam o nascimento espiritual?

   b. Como você se sente quando tropeça? Isso o perturba? Explique.

   c. Que tipos de tropeço você é mais inclinado a cometer?

4. Você compreende o que Deus fez? Ele depositou uma semente de Cristo em você. À medida que ela for crescendo, você irá se modificar. Não é como se o pecado não tivesse mais presença em sua vida, mas sim que o pecado já não tem mais poder sobre sua vida. A tentação vai azucriná-lo, mas a tentação não vai controlá-lo.

   a. O que é a "semente de Cristo" que Deus deposita em seus filhos?

   b. De que maneira você mudou desde que se tornou cristão?

   c. A tentação tem o poder de azucriná-lo ou de controlá-lo? Explique.

Centro da cidade

1. Leia João 3:1-16.

   a. Por que você acha que Nicodemos veio ver Jesus à noite?

   b. Liste algumas semelhanças e diferenças entre o nascimento físico e o espiritual.

   c. Quem tem o papel principal no nascimento espiritual (v. 8)? Por que isso é importante?

   d. Que papel a crença ou a confiança desempenham no nascimento espiritual (v. 15)?

   e. O que foi prometido àqueles que depositam sua confiança em Cristo (v. 16)?

2. Leia Tito 3:3-6.

   a. Como Paulo caracteriza sua vida e a de seus amigos antes da conversão (v. 3)?

b. Quem teve o papel principal em suas conversões (vv. 4,5)?

   c. Como Paulo imagina sua salvação (v. 5)?

   d. Que papel Jesus desempenhou nessa conquista (v. 6)?

3. Leia Filipenses 1:3-6.

   a. Por que Paulo diz que ora pelos Filipenses (vv. 3-5)?

   b. Quem "começou a boa obra" nos amigos de Paulo (v. 6)? O que isso significa?

   c. Quem vai concluir a obra nos amigos de Paulo? Como ele fará isso?

BENFEITORIAS COMUNITÁRIAS

Os crentes que tropeçam em seu caminho de fé muitas vezes se sentem como fracassados e por vezes se perguntam se Deus pode mesmo aguentá-los mais uma vez. Pense em alguém que você conheça que cometeu uma queda séria recentemente. O que você pode fazer para ajudar essa pessoa a recompor-se da queda e reconstruir sua vida em Cristo? Faça um plano e coloque-o em operação.

CAPÍTULO 10
O LIXEIRO

PERCORRENDO A VIZINHANÇA

1. Sua voz é cálida e sua pergunta é honesta. "Você me daria seu lixo?"

   a. O que é o "lixo" aqui mencionado?

   b. Que tipo de "lixo" você anda carregando?

c. Você costuma se agarrar a seu lixo ou passá-lo adiante? Explique.

2. O depósito está atulhado de lixo — papéis e vassouras quebradas e camas velhas e carros enferrujados. Quando finalmente chegam à colina, a fila para o topo é comprida. Há centenas de outros caminhando à sua frente. Todos aguardam em silêncio, paralisados pelo que ouvem — um grito, um rugido doloroso que paira no ar por algum tempo, interrompido por um gemido. Então os gritos voltam. São dele.

   a. Por que o lixeiro grita?

   b. Por que o lixeiro se submete a tanta dor?

3. Suas palavras são suaves, não são dirigidas a ninguém. "Ele se ergue." Então, fala em voz alta, para seus amigos. "Ele se ergue." E, mais alto, para todo mundo. "Ele se ergue!" Ela se volta, todos se voltam. Veem a silhueta dele contra o sol dourado. Erguendo-se. De fato.

   a. O que essa imagem do lixeiro erguendo-se representa em nosso mundo?

   b. Como você se sente ao saber que Cristo se ergue?

Centro da cidade

1. Leia João 1:29-31.

   a. Por que João Batista chamou Jesus de "Cordeiro de Deus"?

   b. Considerando a cultura em que estavam imersas, como as pessoas a quem João se dirigia interpretaram essa referência ao Cordeiro?

c. Já que Jesus havia nascido vários meses depois de João, de que forma João vinha "depois" de Jesus (v. 30)?

   d. Usando um livro de referência bíblica, procure as diferentes menções a "cordeiro". De que maneira Jesus era como um cordeiro?

2. Leia 2 Coríntios 5:17;6:2

   a. De que maneira ser uma "nova criatura" em Cristo está relacionada à imagem de depositar o lixo diante do lixeiro?

   b. Quando Deus nos redimir (e levar nosso lixo embora), o que ele pede que nós façamos em troca (vv. 18-20)?

   c. Qual é a melhor hora para dar seu lixo a Deus (v. 2)?

Benfeitorias comunitárias

Que "lixo" você costuma carregar consigo? De que forma isso está fazendo-o mais pesado? O que impede que você deposite esse monturo aos pés de Jesus? Reserve um bom pedaço de seu dia e traga todo o seu lixo para o Salvador. Passe pelo menos meia hora orando, confessando tudo que você precisa confessar e pedindo que o Salvador carregue seu fardo em seu nome. Certifique-se de encerrar sua hora de oração com um louvor saudável àquele que se oferece para carregar seu fardo.

Capítulo 11
Ele ama estar com quem ele ama

Percorrendo a vizinhança

1. Viagem de feriado. Não é fácil. Então por que fazemos? Por que atulhar os porta-malas e suportar os aeroportos? Você sabe a resposta. Amamos estar com aqueles que amamos.

a. Descreva a última vez em que você saiu de viagem de férias. Que desafios ela representou?

b. Se amamos estar com os que amamos, por que estamos tantas vezes alienados deles?

2. Que mundo ele deixou para trás. Nossas mansões mais elegantes pareceriam um tronco de árvore para ele. A melhor culinária do planeta pareceria nozes na mesa dos Céus.

a. O que, para você, é a coisa mais notável sobre Jesus ter deixado o Céu para vir à Terra?

b. Por que você acha que Jesus deixou o Céu para viver entre nós, na Terra?

3. Ainda falando-lhe por detrás da porta, Dr. Maxwell contou ao homem o que a mulher lhe pedira. "Ela quer que eu desfigure seu rosto, que eu deixe o rosto dela parecido com o seu, na esperança de que você a permita voltar a sua vida. Tanto é o amor que ela lhe tem." Houve um breve momento de silêncio, e então, bem devagar, a porta foi se abrindo.

a. O que finalmente sensibilizou o homem? Que forças o fizeram mudar de opinião?

b. Você alguma vez já enfrentou um amor humano tão grande quanto o da esposa da história? Explique.

4. Ele assumiu nosso rosto, nossa desfiguração. Tornou-se como nós. Basta olhar para os lugares a que ele estava disposto a ir: manjedouras, carpintarias, desertos e cemitérios. Os lugares aonde ele foi para nos alcançar revela o quão longe ele iria para nos tocar.

a. De que forma Jesus assumiu nossa desfiguração? Por que ele o fez?

b. A que lugares desagradáveis você já viu Jesus chegar? O que ele fez nesses lugares?

c. Onde Jesus o encontrou? Descreva o que aconteceu.

Centro da cidade

1. Leia Filipenses 2:4-11.

    a. Que mandamentos são dados no versículo 4? O que há de difícil e de fácil em seguir esses mandamentos?

    b. Que tipo de exemplos Jesus definiu para nós? Dê o nome de algumas áreas específicas.

    c. Como Deus irá recompensar Jesus por sua obediência (vv. 9-11)? De que forma isso pode nos encorajar?

2. Leia João 1:14.

    a. Quem é a "Palavra" ou o "Verbo" nesse versículo? Como você sabe disso?

    b. De onde vem essa Palavra?

    c. O que significa a plenitude da verdade?

    d. O que significa a plenitude da graça?

3. Leia João 14:15-18.

    a. Como podemos provar nosso amor por Jesus, de acordo com o versículo 15?

    b. Para quem Jesus irá enviar outro "Conselheiro" ou "Confortador" de acordo com o versículo 16? Quem é esse "Confortador"?

   c. Onde podemos encontrar esse "Confortador" (v. 17)?

   d. Que promessa Jesus fez no versículo 18? Como ele a mantém nos dias de hoje? Como isso demonstra que ele ama estar com quem ele ama?

BENFEITORIA COMUNITÁRIA

O livro dos Hebreus fala sobre ter compaixão com aqueles que estão na prisão (10:34) e lembrar-se deles como se estivéssemos com eles (13:3). Você já pensou em visitar alguém na prisão? Faça uma pesquisa rápida e descubra ministérios locais que trabalham com presidiários e planeje uma viagem!

CAPÍTULO 12
COMO É QUE É?

PERCORRENDO A VIZINHANÇA

1. A primeira parada em seu itinerário foi um útero. Onde irá Deus para tocar o mundo? Olhe para dentro de Maria e você obterá a resposta.

   a. Por que você acha que Deus se incomodou em ter um nascimento humano? Se ele "passou ao largo" de um pai humano, por que não "passou ao largo" de uma mãe humana?

   b. O que, para você, é mais notável em relação à Maria? De acordo com a sabedoria humana, por que ela pareceria uma escolha não apropriada?

2. Cristo cresceu em Maria até que teve de sair. Cristo crescerá em você até que a mesma coisa ocorra. Ele sairá no

que você fala, no que você faz, no que você decide. Todos os lugares em que você estiver serão Belém, e todos os dias serão dia de Natal.

   a. De que maneira Cristo está saindo no que você fala, no que você faz e no que você decide?

   b. Você pode dizer que todos os lugares em que vive são Belém? Explique.

3. Você é como Maria dos dias de hoje. Ou até mais. Ele era apenas um feto em Maria. Em você ele é uma força. Ele fará o que você não pode fazer.

   a. Você tem problemas em pensar sobre si como uma "Maria dos dias de hoje"? Explique.

   b. Descreva algumas coisas que Jesus fez por seu intermédio, que você não poderia ter feito sozinho.

4. Se formos nos basear em Maria, parece que Deus está menos interessado no talento do que na capacidade de confiar.

   a. Por que Deus estaria mais interessado em nossa capacidade de confiar do que em nosso talento?

   b. Isso é uma boa ou má notícia para você? Explique.

CENTRO DA CIDADE

1. Leia Lucas 1:26-38.

   a. Como o anjo saudou Maria (v. 28)? Como Maria reagiu (v. 29)? Por quê?

   b. Que promessa fez o anjo a Maria (vv. 30-33)? Que importantes questões ele, aparentemente, deixou de lado (v. 34)?

c. Como o anjo respondeu à única pergunta de Maria (v. 35)? De que maneira o que ele disse, na verdade, não deu muitas respostas?

   d. Como Maria respondeu a toda a anunciação (v. 38)? O que isso demonstra sobre ela?

2. Leia Atos 26:9-24.

   a. Como Paulo se descreve antes de ter encontrado Jesus na estrada de Damasco (vv. 9-11)?

   b. De acordo com 2 Coríntios 6:4-10, como Paulo descreve sua vida após ter conhecido Jesus?

   c. De acordo com Gálatas 2:20, a que Paulo atribui a notável mudança em sua vida?

3. Leia Éfesios 3:16-19.

   a. Que oração Paulo ofereceu para os Efésios no versículo 16? Diga os nomes dos vários elementos dessa oração.

   b. O que significa para Cristo "habitar" no coração de uma pessoa "por meio da fé"?

   c. Que outra oração Paulo ofereceu no versículo 18? Como essa oração se concatena com a anterior?

   d. O que Paulo viu como a resposta final a sua oração (v. 19)?

BENFEITORIA COMUNITÁRIA

O que você presentemente está fazendo em sua vida cristã que não poderia de modo algum fazer se Cristo não estivesse obrando por seu intermédio? Faça uma lista dessas coisas. Se sua lista parecer curta, assuma um compromisso perante Deus com a duração de um mês para orar por Sua instrução e condução nessa área. Peça a Deus para mostrar como pode Cristo viver por seu intermédio nas atividades "normais" do dia a dia — e perceba quando a mudança começar a vir.

Capítulo 13
Uma cura para a vida comum

Percorrendo a vizinhança

1. Você leva uma vida comum. Pontuada por casamentos eventuais, mudanças de emprego, troféus de boliche e formaturas — poucos destaques — mas principalmente no mesmo ritmo cotidiano em que segue a maioria da humanidade.

    a. O que é comum a respeito de sua vida?

    b. O que é extraordinário a respeito de sua vida?

2. Em trinta de seus trinta e três anos, Cristo viveu uma vida comum. Tirando aquele incidente no templo quando ele tinha doze anos, não temos registro algum do que ele disse ou fez pelos primeiros trinta anos de sua caminhada na Terra.

    a. Por que você acha que Jesus esperou até trinta anos para começar seu ministério público?

    b. Que valores havia nos trinta anos de "vida comum" de Jesus?

3. Na próxima vez em que sua vida parecer comum demais, siga a dica de Cristo. Preste atenção em seu trabalho e em seu mundo.

a. Você gosta de se sentir "comum"? Explique.

   b. Como você pode tornar as experiências comuns em algo extraordinário?

4. Que tipo de amor adota o desastre? Que tipo de amor olha no rosto das crianças, sabendo muito bem o peso da calamidade, e diz: "vou ficar com elas"?

   a. Responda a pergunta.

   b. Por que Deus diria tais coisas sobre nós? Por que ele nos adotaria?

CENTRO DA CIDADE

1. Leia Marcos 6:1-6.

   a. Por que a pregação de Jesus deixou seus vizinhos da cidade natal atônitos (vv. 2,3)?

   b. Como Jesus reagiu aos comentários de seus vizinhos (vv. 4-6)?

   c. Por que Jesus estava maravilhado com seus vizinhos?

2. Leia 1 Pedro 1:17-21.

   a. O que significa viver em "medo reverente" (v. 17)? O que isso parece?

   b. Como Pedro descreve a vida que nos foi passada (v. 18)?

   c. Como Paulo descreve aquele que nos redimiu (v. 19)?

   d. Quais são os elementos humanos e divinos na vida de Jesus descritos no versículo 20?

   e. Em quem depositamos nossa fé, de acordo com o versículo 21? Por meio de quem exercitamos nossa fé? O que há de significativo nisso?

Benfeitoria comunitária

Alguns cristãos embarcam em uma trajetória não saudável porque não querem ser vistos como "comuns" ou "ordinários". Mas leia 1 Tessalonicenses 4:11,12. O que Paulo diz aqui sobre uma vida cristã ordinária? Aonde essa vida leva? O que você talvez tenha de fazer, se houver algo, para entrar no compasso dessa instrução? Decore esses dois versos, e medite sobre eles pelas próximas duas semanas. Procure uma oportunidade não anunciada, e fora do comum, para servir.

Capítulo 14
Ah, ser livre dos PDPs...

Percorrendo a vizinhança

1. Você tem algum PDP? Quando você vê alguém bem-sucedido, você sente inveja? Quando você vê alguém se dando mal, você sente soberba? Quando você implica com alguém, a chance de você passar a gostar dessa pessoa é tão pequena quanto a de eu ganhar a maratona olímpica?

    a. Descreva o que Max quis dizer com Padrão Destrutivo de Pensamento (PDP).

    b. Responda a sua pergunta. De que outros PDPs você se lembra agora?

2. A luxúria o atiçava. A avareza se oferecia. O poder o clamava. Jesus — o humano — passou pelas tentações. Mas Jesus — o Deus santo — resistiu. Ele recebeu e-mails contaminados, mas resistiu à vontade de abri-los.

a. Como um Filho de Deus sem pecado poderia ser tentado? O que significaria para nós se ele não pudesse ser tentado?

b. Como Jesus resistiu à urgência de abrir os "e-mails contaminados"? Como podemos fazer do mesmo modo?

3. Lembra-se do menino de doze anos no tempo? Aquele com os pensamentos cristalinos e uma mente de Teflon? Adivinha. Este é o objetivo de Deus para você! Você foi feito para ser como Cristo!

a. De que maneira você gostaria de ser mais como Cristo? Seja específico.

b. Descreva alguém cuja fé você respeita. De que formas essa pessoa se torna o exemplo de Cristo para você?

4. Ele mudou o homem ao renovar sua mente. E como isso acontece? Acontece fazendo o que você está fazendo neste exato instante. Refletindo a glória de Cristo.

a. O que significa "refletir a glória de Cristo"?

b. Com que frequência você deixa sua mente refletir sobre a pessoa e a obra de Jesus? O que o ajuda a fazer isso com maior eficiência?

CENTRO DA CIDADE

1. Leia Lucas 2:41-50.

a. Por que você acha que Jesus negligenciou em dizer a seus pais que ele ficaria para trás em Jerusalém?

b. Que tipo de perguntas você imagina que Jesus fez aos professores no templo?

c. Por que você acha que Jesus fez a seus pais as perguntas que ele suscitou no versículo 49?

d. Por que você acha que os pais de Jesus não compreenderam o que ele disse a eles?

e. Lucas nos diz que Jesus era obediente a seus pais, ainda que eles não o compreendessem (v. 50). Qual é o significado disso?

2. Leia Romanos 8:5-11.

   a. Que teste Paulo dá no versículo 5 para que descubramos se estamos buscando a Deus ou a nossos interesses egoístas?

   b. O que produz a mente pecaminosa (v. 6)? O que produz a mente divina?

   c. Como podemos nos certificar de que nossa mente esteja em paz (v. 9)? O que é necessário para isso, na prática?

   d. Que promessas são feitas no versículo 11?

3. Leia Colossenses 3:1-17.

   a. Que instruções Paulo nos dá nos versículos 1-2? O que isso significa em termos práticos?

   b. Como Paulo "dá corpo" a seu mandamento nos versículos que se seguem? Como você pode dizer que está ou não cumprindo suas instruções?

   c. Faça uma lista com duas colunas. No lado direito, coloque as "boas" qualidades que Paulo diz que devemos perseguir; na esquerda, coloque as "más" qualidades que devemos evitar. De que modo lutar pela mentalidade de Cristo leva naturalmente a esse modo de vida?

Benfeitoria comunitária

Está disposto a encarar um desafio? Não é um livro fácil, mas *Future grace*, de John Piter traz dicas e orientações sensacionais para vencer tentações específicas que todo mundo enfrenta. Ele demonstra como empregar determinados versículos das Escrituras para combater vários pecados avassaladores, como a ansiedade, o orgulho, a vergonha, a impaciência, a amargura, a luxúria e a melancolia. Consiga um exemplar desse livro e comece a ler a parte sobre a tentação que causa mais estrago em você.

Capítulo 15
De vacilantes a decididos

Percorrendo a vizinhança

1. O batizado não era uma prática nova. Era um requisito para todo mundo que quisesse se converter ao Judaísmo. O batizado era para as pessoas encardidas, de segunda-classe, os não escolhidos. Não era para os limpos, primeira-classe, os favoritos — os judeus. Eis aqui o nó da questão. João recusava-se a distinguir entre judeus e não judeus. Em seu livro, cada coração merecia tratamento especial.

    a. Por que João acredita que "cada coração merecia tratamento especial"?

    b. De que forma seu coração precisa de um "tratamento especial"? Explique.

2. O que é que nós devemos? Devemos a Deus uma vida perfeita. Obediência perfeita a cada mandamento.

    a. Você concorda com essas declarações? Sim? Não? Por quê?

    b. Se você hesitasse diante da exigência da obediência, como você se sentiria? Por quê?

3. O batismo celebra sua decisão de tomar assento. [...] Não somos salvos pelo ato em si, mas o ato demonstra o modo pelo qual somos salvos. Recebemos crédito por uma vida perfeita que nós não levamos — de fato, uma vida que jamais poderíamos levar.

    a. De que forma o ato do batismo celebra e demonstra a maneira como somos salvos?

    b. Por que você acha que Deus usa atos físicos para servir como marcos espirituais?

4. A filha atendeu à campainha da porta naquela noite para encontrar uma caixa de quase dois metros de altura, embrulhada em papel de presente. Ela abriu a caixa e de dentro saiu seu pai, que acabara de chegar de avião, vindo da Califórnia. Você consegue imaginar sua surpresa? Talvez você consiga. O seu presente também veio em carne e osso.

    a. Como seu Pai se tornou uma dádiva?

    b. O que você fez com a dádiva que recebeu? O que está fazendo com essa dádiva?

Centro da cidade

1. Leia Mateus 3:13-17.

a. Por que você acha que Jesus quis ser batizado por João?

b. Como João reagiu ao pedido de Jesus para ser batizado (v. 14)?

c. De que forma o batizado de Jesus "cumpriu toda a justiça" (v. 15)?

d. Como Deus demonstrou sua aprovação de Jesus nessa ocasião (vv. 16,17)?

2. Leia Romanos 6:3-7.

    a. O que Paulo quis dizer quando falou que os cristãos são "batizados" na morte de Cristo (v. 3)?

    b. Como o batismo simboliza o começo de uma nova forma de vida (v. 4)?

    c. Se fomos "enterrados" com Cristo no batismo, para que fomos erguidos (v. 5)?

3. Leia Gálatas 3:26-29.

    a. Como uma pessoa pode tornar-se Filho de Deus, de acordo com o versículo 26?

    b. O que significa estar "revestido em Cristo" (v. 27)?

    c. Como esse "revestimento" levou à declaração de Paulo no versículo 28?

    d. Que promessa Paulo reitera no versículo 29?

BENFEITORIA COMUNITÁRIA

Você seguiu o Senhor no batismo? Se você assumiu um compromisso de fé a Cristo, por que não? Se esse é um passo da obediência que você está disposto a dar, então coloque-o na sua agenda. Marque uma reunião com seu pastor para conversar sobre o que está envolvido no batismo e o que ele significa, e então prepare-se para o evento. Convide a família e os amigos — ei, por que não chamar os vizinhos, também? — e faça a celebração que Deus deseja. Se você já tiver sido batizado, descubra quando um amigo ou ente querido está para ser batizado, e faça uma celebração especial.

Capítulo 16
O longo e solitário inverno

Percorrendo a vizinhança

1. Você está sozinho. Seja de fato ou de sentimento, ninguém pode ajudá-lo, compreendê-lo ou resgatá-lo.

    a. Descreva a última ocasião em que você esteve no deserto da solidão. O que fez você estar lá?

    b. Quando você se sente sozinho, por que parece que ninguém pode ajudá-lo, compreendê-lo ou resgatá-lo?

    c. Como é que você lida com os momentos de solidão?

2. Olhe, você e eu não somos páreo para Satanás. Jesus sabe disso. Então ele vestiu nosso uniforme. Melhor ainda, ele vestiu nossa carne. [...] E, porque ele o fez, nós passamos no teste com notas altas.

    a. Como é que nós, algumas vezes, demonstramos que somos sim páreo para Satanás? E o que acontece então, inevitavelmente?

    b. Como é que Jesus lidou com as tentações apresentadas por Satanás?

3. Satanás não denuncia Deus: ele simplesmente suscita dúvidas a respeito de Deus. [...] Ele tenta desviar, pouco a pouco, nossa fonte de confiança para longe da promessa de Deus e em direção ao nosso desempenho.

   a. Como é que Satanás, na maior parte das vezes, suscita dúvidas sobre Deus em sua vida?

   b. Descreva a última ocasião em que sua confiança começou a desviar-se da promessa de Deus e em direção a seu desempenho. O que aconteceu?

4. A arma que Jesus escolheu sobreviver foi as Escrituras. Se a Bíblia foi suficiente para seu deserto, não deveria ser suficiente para nós também? [...] Duvide de suas dúvidas antes de duvidar de suas crenças.

   a. Por que você acha que a arma que Jesus escolheu foi as Escrituras?

   b. Como é que você usa as Escrituras quando se sente sob ataque espiritual?

   c. O que significa duvidar de suas dúvidas antes de duvidar de suas crenças?

Centro da cidade

1. Leia Lucas 4:1-13.

   a. Jesus não andou a esmo para o deserto; o Espírito o *conduziu* para lá (v. 1). Por quê?

   b. Quando Satanás tentou Jesus com pão? Quando ele estava satisfeito ou vazio, forte ou fraco? O que isso sugere a respeito da tentação de Satanás sobre nós (v. 2)?

c. Quais são as três tentações registradas nas Escrituras? Como Jesus respondeu a todas elas?

d. O que significa colocar o Senhor a teste (v. 12)?

e. O versículo 13 diz que Satanás deixou Jesus "até ocasião oportuna". O que isso nos sugere a respeito de nossas tentações?

2. Leia Tiago 1:13-15.

   a. Qual é a fonte de nossas tentações? O que *nunca* é a fonte?

   b. Descreva o "ciclo de vida" da tentação e do pecado. Por que é importante compreender esse ciclo?

3. Leia Hebreus 4:14-16.

   a. Como o versículo 14 descreve o Cristo ressurreto? Por que isso é importante para nós?

   b. Como o versículo 15 descreve Jesus? Por que isso é importante para nós?

   c. A que aplicação dessas verdades refere-se o versículo 16? Você já aplicou a verdade dessa maneira? Explique.

Benfeitoria comunitária

Muitos estudos mostraram que a solidão se tornou uma epidemia nacional. Pense em seus vizinhos por um momento. Quem, entre eles, parece solitário? De uma maneira gentil e sensível, esteja alerta para a solidão em sua vizinhança, e então veja o que você pode fazer para diminuir essa solidão. Convide a pessoa para um jogo ou um filme ou um passeio familiar. Tente *alguma coisa*. Você não tem de ser um médico para curar a solidão.

Capítulo 17
Deus está por dentro

Percorrendo a vizinhança

1. A presença dos problemas não nos surpreende. A ausência de Deus, no entanto, nos desmonta. Podemos lidar com a ambulância se Deus estiver dentro dela. Podemos suportar o CTI se Deus estiver lá dentro. Podemos encarar a casa vazia se Deus estiver lá dentro. E ele está?

    a. Descreva a última vez em que você encarou uma provação séria. Você sentiu como se Deus estivesse com você? Explique.

    b. Qual é a ocasião em que é mais difícil acreditar que Deus está com você?

2. Jesus no tempo presente. Ele nunca diz "eu fui". Nós dizemos. Dizemos porque "nós fomos". Fomos mais jovens, mais ágeis, mais bonitos. Somos dados a ser pessoas do tempo passado, nós ficamos pensando sobre o passado. Deus não. De força irredutível, ele nunca precisa dizer "eu fui". O Céu não tem espelhos retrovisores.

    a. O que significa para nós que Cristo esteja sempre no "tempo presente"?

    b. Você acha que Deus tem algum arrependimento? Explique.

3. Deus vai para o meio das coisas! Mares Vermelhos. Peixes grandes. Covas de leões e fornalhas. Negócios em bancarrota e celas de prisões. Desertos da Judeia, casamentos, fu-

nerais e tempestades na Galileia. Procure e encontrará o que todos, de Moisés a Marta, descobriram. Deus está no meio de nossas tempestades. Isso inclui a sua tempestade.

a. Como Deus foi para o meio das coisas em sua vida? Dê dois exemplos e descreva.

b. Como você procura por Deus no meio de suas tempestades pessoais?

c. Como você pode ajudar os outros a encontrar Deus no meio de suas tempestades?

Centro da cidade

1. Leia Mateus 14:22,23.

    a. De quem foi a ideia de os discípulos cruzarem para o outro lado do lago (v. 22)? Por que é importante lembrar?

    b. O que Jesus fez depois de dispersar a multidão (v. 23)? Que exemplos ele nos dá?

    c. Por que os discípulos acharam que Jesus era um fantasma (v. 26)? Com que frequência confundimos Jesus com outra coisa ou pessoa?

    d. Como Jesus respondeu ao medo dos discípulos (v. 27)?

    e. Você aplaude ou reprova o pedido de Pedro (v. 28)? Por quê?

    f. O que fez com que Pedro afundasse (v. 30)? De que forma isso é parecido com nossa situação?

    g. De que forma o versículo 33 dá um fim apropriado à história? Por que isso seria um fim apropriado para nossa história também?

2. Leia João 6:48; 8:12; 58; 10:9;11;36; 11; 25; 14:6; 15:1.

    a. Passe algum tempo discutindo cada uma das declarações "eu sou" de Cristo no evangelho de João. O que cada uma delas significa? De que forma cada uma lhe fornece esperança e um futuro?

    b. Substitua "eu sou" por "eu serei" em cada uma dessas declarações. Como isso afeta a esperança que elas fornecem?

Benfeitoria Comunitária

Momentos que podem ser ensinados às crianças podem ser encontrados quando tentamos alcançar aqueles, em nossas comunidades, que estão menos amparados. Se você tiver filhos pequenos, considere a possibilidade de levá-los a uma missão familiar patrocinada pela igreja até uma comunidade desprivilegiada. Ou você pode levá-los para ajudar a servir em uma missão de resgate no centro da cidade à tarde. Os adolescentes podem ajudar com os programas de educação aos analfabetos. Investigue as oportunidades de servir os desprivilegiados, e faça com que toda a família tome parte.

Capítulo 18
Esperança ou especulação?

Percorrendo a vizinhança

1. Já se sentiu como se estivesse atravessando uma feira da espiritualidade?

    a. Responda a pergunta.

    b. Descreva algumas das ofertas religiosas que você ouviu no último ano.

c. Como é que você pode identificar quando está ouvindo um pregoeiro de feira?

2. O erro de Pedro não foi ter falado, mas ter dito uma heresia. Três monumentos iriam colocar Jesus no mesmo nível que Moisés e Elias. Ninguém divide o pódio com Jesus.

   a. Por que Moisés e Elias não podem dividir o pódio com Jesus?

   b. Como é que Jesus deixa para trás qualquer herói espiritual do passado?

   c. Por que você acha que Deus fez Moisés e Elias se encontrarem com Jesus na montanha?

3. Nos evangelhos sinópticos (Mateus, Marcos e Lucas), Deus se pronuncia somente duas vezes — no batismo e de novo aqui, na Transfiguração. Em ambos os casos, ele começa com "Este é meu Filho querido". Mas no rio ele conclui com esta afirmação: "Que me dá muita alegria!" (Mateus 3:17, NTLH). Na colina, ele conclui esclarecendo: "Escutem o que ele diz!"

   a. Por que você acha que Deus falou de forma mais audível do Céu somente duas vezes nos Evangelhos? Por que não falou mais vezes?

   b. Por que razão você acha que Deus falaria de Jesus na primeira ocasião, "que me dá muita alegria", enquanto na segunda vez disse "Escutem o que ele diz!"?

   c. Como você escuta ativamente o que Jesus diz?

4. Não se engane, Jesus via a si mesmo como Deus. Ele nos deixa com duas opções. Aceitá-lo como Deus, ou rejeitá-lo como megalomaníaco.

a. Por que você acha que tanta gente insiste que Jesus nunca declarou ser Deus?

b. Como você pode demonstrar a alguém que Jesus efetivamente declarou ser divino?

c. Que decisão você tomou a respeito da identidade de Cristo? Por que você tomou essa decisão?

Centro da cidade

1. Leia Lucas 9:27-36.

    a. De que forma a Transfiguração foi o cumprimento de uma profecia (v. 27)?

    b. Como você acha que os discípulos reconheceram Moisés e Elias (v. 33)?

    c. Por que você acha que os discípulos se amedrontaram quando uma nuvem de Deus os cobriu (v. 34)?

    d. Por que você acha que os discípulos, por um tempo, mantiveram para si a história da Transfiguração?

2. Leia Mateus 24:30.

    a. Que conexão tem esse verso com a história da Transfiguração?

    b. De que forma a verdade declarada nesse versículo lhe dá esperança e força para continuar, ainda que em circunstâncias difíceis?

Benfeitoria comunitária

Muitos cultos religiosos declaram ter uma conexão com Jesus Cristo ainda que, ao mesmo tempo, refutem claramente sua divindade. Consiga um exemplar de um livro sobre cultos não cristãos e reforce as razões pelas quais os cristãos acreditam na divindade de Cristo, ao passo que esses cultos a negam.

Capítulo 19
Abandonado!

Percorrendo a vizinhança

1. Essa é uma escuridão sobrenatural. Não é uma reunião casual de nuvens ou um breve eclipse do sol. Esse é um cobertor de escuridão de três horas.

    a. Imagine como as testemunhas desse evento devem ter reagido a essa escuridão.

    b. Por que Deus causaria tal escuridão?

    c. Você já presenciou uma mudança súbita e dramática na natureza? Como você reagiu?

2. Ah, aí temos a palavra mais dura de todas. *Abandono*. A casa que ninguém quer. A criança filha de ninguém. O pai de quem ninguém se lembra. O Salvador que ninguém compreende. Ele corta a escuridão com a pergunta mais solitária do Céu: "Meu Deus! Meu Deus! Por que me abandonaste?"

    a. Descreva uma ocasião em que você se sentiu abandonado.

    b. Você teme ser abandonado? Explique.

    c. Por que Deus abandonaria seu único Filho, "em que muito me agrado"?

3. Já viu Jesus na cruz? Quem está pendurado lá é um fofoqueiro. Viu Jesus? Um picareta. Um mentiroso. Intolerante. Viu o carpinteiro pendurado? Bate na mulher. Viciado em pornografia e assassino. Está vendo o menino de Belém? Pode chamá-lo por seus outros nomes — Adolf Hitler, Osama bin Laden, Idi Amin Dada.

   a. Foi injusto da parte de Deus colocar todo o pecado do mundo sobre seu Filho perfeitamente obediente? Explique.

   b. A hesitação de Jesus no Jardim de Getsêmani faz mais sentido para você quando você reflete sobre o pecado em que ele se "tornou" na cruz? Explique.

CENTRO DA CIDADE

1. Leia Mateus 27:45-54.

   a. Por que você acha que Mateus nos conta da escuridão que cobriu a Terra por três horas (v. 45)?

   b. O que você acha que se passava pela cabeça de Jesus enquanto ele gritava as palavras registradas no versículo 46?

   c. O que aconteceu no momento em que Jesus morreu (vv. 51-53)? Por que essas coisas são significativas?

   d. Como os soldados romanos reagiram ao que viram (v. 54)?

2. Leia Salmo 22:1-18.

   a. Leia com atenção esses versículos e veja quantos cumprimentos de profecias você pode encontrar na crucificação de Jesus.

b. Quando você está temeroso, que passagem nas Escrituras lhe dá força?

3. Leia 2 Timóteo 4:9-18.

   a. Descreva sucintamente a situação pessoal de Paulo que ele aborda nessa passagem.

   b. Como o apóstolo reagiu ao ser abandonado (vv. 10; 16)?

   c. Como o apóstolo encontrou forças em Deus mesmo em seu abandono (v. 17,18)? Como podemos fazer o mesmo?

Benfeitoria comunitária

Uma canção de louvor bem popular diz que Jesus foi abandonado para que não precisássemos ser. Mas algumas pessoas — incluindo cristãos — se sentem abandonados mesmo assim. Você pode romper os grilhões do abandono ao demonstrar sua preocupação e seu cuidado com alguém em seu mundo. A partir de um pequeno começo, como um convite para jantar, você pode demonstrar a alguém que ele não foi abandonado. Se um convite pessoal parecer avassalador para a pessoa, tente um evento em grupo, como uma festa da vizinhança. Chame-a de festa para "se enturmar", querendo dizer com isso que haverá outras pessoas no grupo que são novas na vizinhança, tornando assim o evento mais caloroso e menos intimidador.

Capítulo 20
O golpe de misericórdia de Cristo

Percorrendo a vizinhança

1. Por acaso não uivamos e ganimos? Não nos lava-jatos, talvez, mas nas estadas em hospitais ou nas transferências de

emprego. Basta a economia ir para baixo ou as crianças se mudarem, que vamos uivar bastante. E, quando nosso Mestre nos explica o que está acontecendo, reagimos como se ele estivesse falando javanês. Não compreendemos uma palavra do que diz.

   a. Como você reage normalmente quando uma dificuldade inesperada surge? Você urra? Explique.

   b. Descreva uma ocasião em que você simplesmente não conseguia entender o que Deus estava fazendo em sua vida. Olhando agora, o que você acha que Deus poderia estar fazendo?

   c. Você vive em meio a "furacões"? Explique. O que é que você aprendeu que pode ajudá-lo a suportar essa condição?

2. Mais previsões do Antigo Testamento tornaram-se realidade durante a crucificação mais do que em qualquer outro dia. Vinte e nove profecias diferentes, a mais jovem delas, já contando com quinhentos anos, foram cumpridas no dia da morte de Cristo.

   a. Você se encoraja ou se inspira em sua fé ao perceber como muitas das profecias antigas se cumpriram em Cristo a caminho da cruz? Por que sim, ou por que não?

   b. Você já realizou um estudo sobre profecias que se cumpriram? Se não realizou, por que não?

3. Não chame Jesus de vítima das circunstâncias. Chame-o de orquestrador das circunstâncias. Ele engendrou as ações de seus inimigos para cumprir a profecia. E comandou a língua de seus inimigos para declarar a verdade.

a. Pense sobre a história contada nos evangelhos. Para você, como Deus arranjou as circunstâncias para orquestrar o resultado que desejava?

b. Se Deus realmente orquestra mesmo o que parecem ser circunstâncias trágicas em benefício de seu povo, como isso deveria afetar seu modo de vida? Isso afeta sua vida? Explique.

4. Eu o desafio a encontrar um elemento da cruz que ele não empregasse ou reciclasse por simbolismo. Vamos lá, tente. Acho que você vai descobrir o que eu descobri — cada momento sombrio foi, na verdade, um momento dourado para a causa de Jesus.

    a. Aceite o desafio proposto por Max. O que você descobre?

    b. Como você acha que Deus pode tomar cada detalhe sombrio da própria vida e usá-lo para o bem final?

Centro da cidade

1. Leia Mateus 26:24; 31; 54; 56; João 12:20-27; 13:18; 17:12.

    a. O que todos esses textos têm em comum?

    b. Por que é importante que nós percebamos que Jesus sabia exatamente o que estava acontecendo quando se aproxima o momento de sua prisão?

    c. Que confiança você pode absorver em sua fé em saber que Deus tinha a história sob controle?

2. Leia João 11:49-52.

    a. Quem falou profeticamente nessa passagem (v. 49)? Por que isso é fora do comum?

b. O que você acha que o falante quis passar com essa declaração? O que Deus quis que suas palavras fizessem passar (vv. 51,52)?

c. Como esse incidente demonstra que Deus estava pastoreando a história — e a sua também?

3. Leia Atos 4:23-31.

   a. Como o conhecimento que tinham da profecia enquadrou a interpretação dos apóstolos da crucificação de Jesus?

   b. O cumprimento dessa profecia encorajou os apóstolos ou os deixou mais atemorizados? O que fizeram então?

BENFEITORIA COMUNITÁRIA

Se você gostaria de ler um relato envolvente e jornalístico do que aconteceu com Jesus quando foi para a cruz, consiga um exemplar do livro *The Day Christ Died*, de Jim Bishop. O autor usa técnicas de reportagem modernas e informação histórica atualizada para pintar um fascinante retrato do que aconteceu no dia em que Jesus deu sua vida pela humanidade.

CAPÍTULO 21
A LOUCA AFIRMAÇÃO DE CRISTO

PERCORRENDO A VIZINHANÇA

1. Um sepulcro ocupado no domingo dessantifica a sexta-feira santa.

   a. Por que um sepulcro ocupado no domingo dessantificaria a sexta-feira santa?

b. O que houve de bom na morte de Cristo? Por que os discípulos não puderam prevê-la?

2. A sepultura vazia nunca resiste a uma investigação honesta. Uma lobotomia não é requisito para ser discípulo. Seguir Cristo demanda fé, mas não fé cega.

   a. Como é possível investigar a Crucificação e a Ressurreição dois milênios após elas terem ocorrido, de acordo com os evangelhos?

   b. Dê alguns exemplos de perguntas inteligentes a respeito da verdade do Cristianismo.

   c. Qual é a diferença entre fé e fé cega? Por que uma é legítima e a outra não?

3. A coragem desses homens e mulheres foi forjada no fogo do sepulcro vazio. Os discípulos não tinham sonhado com a ressurreição. A ressurreição deixou os discípulos em brasa. Você duvida do sepulcro vazio? Basta olhar para os discípulos.

   a. Compare as ações e o comportamento dos discípulos depois e antes do domingo da Ressurreição. Que diferenças você nota?

   b. Por que é mais difícil acreditar que os discípulos tenham sonhado a Ressurreição do que a Ressurreição tenha estimulado os discípulos?

4. Assim como os passageiros no aeroporto, prestes a embarcar no avião, temos de escolher como reagir. Ou embarcamos e confiamos no piloto, ou tentamos voltar para casa do nosso jeito.

a. Como é que algumas pessoas tentam voltar para casa do seu jeito?

b. Como você demonstra sua confiança no "piloto"? Os observadores podem ver essa confiança? Explique.

Centro da cidade

1. Leia Mateus 28:1-10.
    a. Para quem o anjo voltou seus comentários nessa passagem (v. 5)? Por que você acha que ele não falou para os guardas?

    b. O que disse o anjo às mulheres? O que ele as instruiu a fazer (vv. 5-7)?

    c. Por que você acha que as mulheres estavam ao mesmo tempo amedrontadas e cheias de alegria diante da fala do anjo (v. 8)?

    d. Por que você acha que o Cristo ressurreto teria dito a seus discípulos para irem à Galileia, onde ele apareceria para eles? Por que não aparecer no lugar em que já estavam?

2. Leia Atos 2:22-41.
    a. Como é que Pedro começa seus comentários sobre Jesus nessa passagem (v. 22)? Por que começar assim?

    b. Como é que Pedro interpreta a prisão e a crucificação de Cristo (v. 23)?

    c. Que evento Pedro destaca em seu sermão (vv. 24-32)?

    d. Como Pedro conecta esse evento com o que havia acabado de acontecer em Jerusalém (v. 33)?

e. Que conclusão Pedro declara no versículo 36?

f. Que solução Pedro sugere nos versículos 38-40?

3. Leia Coríntios 15:1;8; 12-20.

   a. Diga os pontos principais do "evangelho" que Paulo disse que pregou.

   b. Que conexão pessoal tinha o apóstolo com esses eventos (v. 8)?

   c. Por que a Ressurreição de Cristo é central para a mensagem do Cristianismo (vv. 12-20)? O que acontece sem ela?

Benfeitoria comunitária

A Ressurreição de Jesus Cristo forma a pedra fundamental de toda a nossa fé — mas essa pedra fundamental não faz bem nenhum às pessoas que não sabem que ela existe. Qual foi a última vez que você falou a alguém sobre o grande Salvador que você tem? Quem, na sua esfera de influência, ainda precisa escutar sobre Jesus? Faça uma lista das cinco pessoas em sua vida que vêm primeiro à sua mente. Comprometa-se a orar por elas, para que elas possam convidar Jesus para tornar-se seu Salvador — e ore especificamente para poder fazer parte dessa apresentação.

Conclusão
Ainda na vizinhança

Percorrendo a vizinhança

1. Para que tanta imensidão? Para que tanto espaço vasto, imensurado, inexplorado, "não utilizado"? Para que você e

eu, recém-assombrados, sejamos estimulados por essa afirmação: "Posso todas as coisas em Cristo que me fortalece."

   a. Como a vastidão do espaço faz você se sentir? Assombrado? Minúsculo? Explique.

   b. Como a imensidão do espaço nos encoraja a acreditar que podemos ser todas as coisas em Cristo, que nos fortalece?

2. O Cristo das galáxias é o Cristo das suas segundas-feiras. O fazedor de estrelas gerencia seu itinerário. Relaxe. Você tem um amigo lá em cima.

   a. Saber que Cristo dirige tanto o universo quando cuida de você o tranquiliza? Explique.

   b. Você é um amigo íntimo de Jesus? Você poderia dizer que ele é seu maior amigo? Por que sim, ou por que não?

3. Mesmo no Céu, Jesus permanece sendo nosso Salvador ao lado. Mesmo no Céu, ele ainda é "Cristo Jesus... que morreu". O rei do universo comanda os cometas com uma língua humana e dirige o trânsito celestial com uma mão humana. Ainda humano. Ainda divino. Vivendo para sempre nessas duas naturezas.

   a. Por que é importante para nós lembrar que Jesus se mantém para sempre humano e divino?

   b. Você anseia em apertar as mãos reais do seu Salvador real? Explique.

4. Mesmo que ele esteja no Céu, ele nunca deixou a vizinhança.

   a. Como Jesus poderia estar tanto no céu quanto em sua vizinhança?

   b. Para você, pensar em Jesus como seu Salvador ao lado ajuda? Explique.

Centro da cidade

1. Leia Romanos 8:34.

   a. Que papel atual esse versículo atribui a Jesus Cristo?

   b. Como esse papel o encoraja a seguir em frente em sua fé?

2. Leia Efésios 1:15-23.

   a. Que pedidos Paulo fez a Deus em nome dos Efésios (vv. 17-19)?

   b. O que você aprendeu sobre a ressurreição de Cristo (vv. 19,20)?

   c. O que você aprendeu sobre as atividades atuais de Cristo (vv. 20-22)?

   d. Como essas verdades o afetam?

3. Leia Mateus 28:16-20.

   a. Por que você acha que, quando os discípulos viram Jesus após sua ressurreição, a maior parte deles o louvou enquanto alguns duvidaram (v. 17)? O que havia para duvidar?

   b. Como Jesus descreve seu estado no versículo 18? Que significado isso tem para nós?

c. Que mandamento Jesus dá a seus discípulos nos versículos 19,20? Como é que você está obedecendo a essas instruções?

d. Que promessa Jesus fez no versículo 20? De que forma isso é projetado para nos encorajar e fortalecer?

Benfeitoria comunitária

Passe algum tempo em oração agradecendo a Deus por ter enviado seu Filho, Jesus, para ser nosso Salvador ao lado. Agradeça-lhe pelos benefícios específicos que ele lhe conferiu. Louve-o por sua bondade em fornecer um Salvador tão maravilhoso. E pergunte a ele como você poderia compartilhar o amor de seu Salvador com os outros, sob seu teto ou em sua vizinhança.

Notas

CAPÍTULO 2
A música-tema de Cristo
1. LEGON, Jeordan. "From science and computers, a new face of Jesus", 25 de dezembro de 2002. In www.cnn.com/2002/TECH/science/12/25/face.jesus.
2. FARRAR, Dean. *The life of Christ*. Londres: Cassel & Company, s/d, p. 84.

CAPÍTULO 3
Amigo dos fracassos
1. Obrigado a Landon Saunders por compartilhar essa história.

CAPÍTULO 6
Terapia do cuspe
1. TADA, Joni Eareckson et al., *When morning gilds the skies: hymns of heaven and our eternal hope*. Wheaton: Crosway Books, 2002, p. 23-24. Reproduzido sob autorização.

CAPÍTULO 7
O que Jesus diz nos funerais
1. Reproduzido sob autorização de Karen e Bill Davis.
2. SPRAGUE, Billy. *Letter to a grieving heart: comfort and hope for those who hurt*. Eugene: Harvest House, 2001, p. 9.

Capítulo 8
Botando para fora o inferno
1. Nome fictício.
2. DILLOW, Linda; PINTUS, Lorraine. *Gift-wrapped by God: secret answers to the question, "why wait?"* Colorado Springs: WaterBrook Press, 2002. p. 59–64. Reproduzido sob autorização.

Capítulo 9
Não é o que você faz
1. MACARTHUR, Jr., John. *The MacArthur New Testament commentary: Matthew 8-15.* Chicago: Moody Press, 1987, p. 281-283.

SEGUNDA PARTE
Não há lugar aonde ele não vá
1. AURANDT, Paulo. *Destiny and 102 other real-life mysteries.* Nova York: Bantam Books, 1983, p. 225.

Capítulo 11
Ele ama estar com quem ele ama
1. DUNNAN, Maxie. *This is Christianity.* Nashville: Abingdon Press, 1994, p. 60–61.

Capítulo 13
Uma cura para a vida comum
1. FARRAR, Dean. *The life of Christ.* Londres: Cassell and Co.,1906, p. 57.
2. CONNOR, George, comp. *Listening to your life: daily meditations with Frederick Buechner.* San Francisco: Harper & Row Publishers, 1992, p. 2.
3. Destiny foi encontrar-se com Jesus no dia 3 de dezembro de 2002.

Capítulo 14
Ah, ser livre dos PDPs...
1. Extraído de STEPHENS, Don. "Of mercy-and peanut butter",

The mercy minute, em www.mercyships.org/mercyminute/vol5/mmv5–32.htm, e MCNABB Jr., Harold S. *"Inspirational thoughts from the legacy of George Washington Carver"*, discurso apresentado na Iowa State University.
2. Salvo 119:18, Almeida Atualizada.

Capítulo 15
De vacilantes a decididos
1. Agradeço a Bob Russel por ter compartilhado essa história.

Capítulo 17
Deus está por dentro
1. COULTER, Ann. "Dressing for distress", 24 de outubro de 2001. Em www.worldnetdaily.com.
2. BRUNER, Frederick Dale. *The churchbook: Matthew 13,28*, vol. 2 de *Matthew: a commentary.* Dallas: Word Publishing, 1990, p. 534.

Capítulo 18
Esperança ou especulação?
1. "Escolhido" é a tradução de *agapetos*, "o absolutamente único e solitário". "Filho" é precedido de um artigo definido: "O meu Filho", *ho huios mou.* Ibid., 606.
2. LEWIS, C. S. *Mere Christianity.* New York: MacMillan, 1952, p. 56.

Capítulo 19
Abandonado!
1. HENRY, Matthew. *Matthew to John*, vol. 5 de *Commentary on the whole Bible.* Old Tappan: Fleming H. Revell Company, 1985, p. 428.
2. BAUER, Walter. *A Greek-English lexicon of the New Testament*, traduzido por William F. Arndt e F. Wilbur Gingrich. Chicago: University of Chicago Press, 1979, p. 50.

CAPÍTULO 20
O golpe de misericórdia de Cristo
1. MCDOWELL, Josh. *The new evidence that demands a verdict*. Nashville: Thomas Nelson, 1999, p. 193.
2. Ibid., 186, 189, 192.

CAPÍTULO 21
A louca afirmação de Cristo
1. LEWIS, Peter. *The glory of Christ*. Londres: Hodder & Stoughton, 1992, p. 342.

CONCLUSÃO
Ainda na vizinhança
1. PIPER, John. *Seeing and Savoring Jesus Christ*. Wheaton: Crossway Books, 2001, p. 19.
2. MACARTHUR Jr. *The MacArthur New Testament commentary: Colossians and Philemon*. Chicago: Moody Press, 1992, p. 48.
3. PIPER. Op. cit., p. 19.
4. MACARTHUR Jr. Op. cit., p. 47.
5. LEWIS. Op. cit., p. 135.
6. ROLLS, Charles J. *Time's noblest name: the names and titles of Jesus Christ*. Neptune: Loizeaux Brothers, 1985, p. 84–86.

Este livro foi composto em Agaramond 11.5/14.5 e
impresso pela Cruzado sobre papel Natural 70g/m² para
a Thomas Nelson Brasil em 2023.